le
second Empire

1852-1870

Catherine Salles

le second Empire

Librairie Larousse

17, rue du Montparnasse 75006 Paris

Rédaction
Alain Melchior-Bonnet
avec le concours de Pierre Thibault

Secrétariat
Jocelyne Bierry

Correction-révision
Bernard Dauphin, Annick Valade

Documentation iconographique
responsable : Fernando Valmachino
Jacques Grandremy, Bernard Crochet,
Françoise Guillot, Jacques Tramoni

Mise en pages
Eva Riffe
assistée de Jean-Michel Barthélèmy

Couverture
Gérard Fritsch

Photographie
Gérard Le Gall, Jacques Bottet, Gilles Lours,
Jacques Torossian, Michel Toulet

Direction artistique
Frédérique Longuépée et Henri Serres-Cousiné

Dépôt légal janvier 1985 — N° de série Éditeur 12509.
Imprimé en France *(Printed in France)* par l'Imprimerie Jean Didier.
Photogravure: Hélio-Didier, Lille.
Photocomposition : M. C. P. Fleury-les-Aubrais.
ISBN 2-03-253104-6.

Avant-propos

LE 2 DÉCEMBRE 1851, par un coup d'État audacieux qui lui permettait d'exercer un pouvoir sans partage, le prince-président préparait la restauration de l'Empire, qui se fit sans heurts à la suite d'un plébiscite triomphal à la fin de 1852. La république naissante était éliminée par celui qui se présentait comme l'héritier de Napoléon Ier. Et le nouvel empereur, en se référant constamment à la légende familiale, sut utiliser avec habileté le mythe napoléonien, encore vivace dans de nombreuses régions de France. Mais Napoléon III était-il réellement le successeur de Napoléon le Grand ? La tradition a été sévère pour ce souverain que Victor Hugo a transformé aux yeux de l'histoire en Napoléon le Petit. Tyran, aventurier, incapable, voire « crétin », autant d'épithètes que l'on a attribuées à ce personnage énigmatique. À l'heure actuelle, les critiques ont tendance à être moins sévères et mettent au crédit du second Napoléon nombre d'initiatives positives. Mais qui peut définir avec précision ce que voulait cet homme à la fois doux et entêté, dont l'esprit était nourri de chimères généreuses, mais qui sut se montrer aussi l'observateur attentif des mutations économiques et sociales de son siècle ?

L'empereur était persuadé d'avoir donné à la France le meilleur système de gouvernement en la dotant d'une « démocratie autoritaire ». Car, s'il reconnaissait dans sa Constitution « les grands principes proclamés en 1789 », il était intimement persuadé que le système avait besoin, pour subsister de façon durable, d'un gouvernement fort. Profondément hostile au parlementarisme, Napoléon III ne voulait pas d'intermédiaire entre sa personne et le peuple français. Cet empereur hermétique et méfiant, dont Alexis de Tocqueville disait « qu'il se croyait l'instrument de la destinée », avait une conception très affirmée de son pouvoir personnel et profita de l'incapacité d'une grande partie de la classe politique pour gouverner arbitrairement en se retranchant derrière la caution populaire que lui avait apportée le plébiscite. Pendant les huit premières années de son règne, il imposa une véritable dictature au pays, dans lequel toutes les libertés publiques avaient été supprimées. Les ministres étaient réduits au rôle de commis et toute l'administration était placée sous la surveillance étroite des préfets et de la police.

Pour lui faire oublier qu'il supprimait ses libertés, Napoléon III offrit à la France pendant les premières années du second Empire le spectacle d'une vie mondaine prestigieuse, dont les fastes éblouirent l'Europe entière. Jamais la France n'avait connu une cour aussi somptueuse que celle qui participait aux réceptions données à Compiègne ou aux Tuileries sous la présidence de Napoléon III et de l'impératrice Eugénie, et les « horreurs de la fête impériale » alimentèrent abondamment les critiques de l'opposition. Le Tout-Paris côtoyait une foule cosmopolite dans le tourbillon incessant de plaisirs qu'offraient les Boulevards, ou courait applaudir les opérettes d'Offenbach. Et la fête semblait trouver son prolongement naturel dans la prospérité apparente du pays, une prospérité que l'empereur ne cessa d'encourager, persuadé qu'il était que le bonheur des « classes souffrantes » passait par l'amélioration des conditions économiques. Par le développement des moyens de communication, par des initiatives hardies dans les secteurs commercial et industriel, par l'afflux des capitaux investis dans les nouvelles entreprises, toutes les forces de la production nationale furent stimulées.

Le nouveau Paris, complètement recréé par les travaux d'Haussmann, était à l'image de cet essor. L'empereur voulut aussi étendre l'influence de la France à l'étranger en remaniant la carte de l'Europe à son idée. Lui qui avait souhaité rassurer les puissances européennes au début de son règne en affirmant : « L'empire, c'est la paix », s'engagea très vite personnellement dans les deux expéditions de Crimée et d'Italie qui, habilement exploitées, lui servirent à rehausser son prestige.

Mais, alors qu'en 1860 le régime semblait à son apogée et que la France s'augmentait de la Savoie et de Nice, cédées par l'Italie, les premières lézardes commencèrent à fissurer l'édifice mis en place par Napoléon III. Le traité de libre-échange signé avec la Grande-Bretagne contribua à détacher du pouvoir les industriels français mécontents de la concurrence des produits anglais. De leur côté, le clergé et les catholiques, qui avaient été parmi les partisans de l'ordre restauré par le coup d'État de 1851, s'inquiétèrent de la politique menée par l'empereur en Italie, qui leur semblait menacer le pouvoir pontifical. Aussi Napoléon III dut-il trouver de nouveaux appuis et se décider à libéraliser le régime. Encore le fit-il avec beaucoup d'hésitations, ne se résignant pas à changer le personnel gouvernemental. De plus, il souffrait d'une grave maladie urinaire, dont les crises violentes minaient par moments sa volonté, et il se trouvait de plus en plus livré aux influences de son entourage. L'impératrice, en particulier, joua à partir de 1860 un rôle essentiel et souvent contestable dans les décisions de son mari. L'empereur, qui avait voulu gouverner seul, s'était transformé petit à petit en un homme malade et usé qui avait de plus en plus de difficultés à dominer la situation.

Les tentatives de Napoléon III pour se concilier la classe ouvrière se soldèrent par un demi-échec. Les concessions accordées aux Chambres instaurèrent une ébauche de libéralisme dans un régime qui restait despotique, mais elles ouvrirent la voie à l'opposition qui vint aussi bien de la droite dirigée par Thiers que de la gauche entraînée par Émile Ollivier. Ces déceptions trouvaient un écho dans la faillite de la politique aventureuse de l'empereur en Amérique centrale. Ce qu'il avait cru être « la plus grande pensée de son règne », l'expédition du Mexique, se soldait, après des années de campagnes décevantes, par un échec et une perte de prestige personnel pour l'empereur. Les maladresses commises à l'égard de la Prusse après la victoire de celle-ci à Sadowa sur l'Autriche ne contribuèrent pas à renforcer l'image de marque du régime, ce dont profita l'opposition pour se livrer, à partir de 1868, à une attaque en règle contre le pouvoir. Les élections de 1869 virent la victoire du Tiers Parti, à la fois libéral et partisan de l'ordre, qui contraignit l'empereur à accorder de nouvelles concessions. Des sénatus-consultes ouvrirent la voie au parlementarisme. Devant la montée des oppositions et les incidents violents qui éclatèrent çà et là, l'empereur eut une nouvelle fois recours au plébiscite pour s'assurer l'appui de l'opinion publique. Le succès qu'il enregistra en mai 1870 put lui faire croire que l'Empire était fondé une seconde fois. Mais, quelques mois plus tard, la France s'engageait à la légère dans une guerre contre la Prusse dont elle avait mal mesuré la puissance. Le second Empire, comme le premier, eut son Waterloo. Celui de Napoléon III se nomma Sedan. La défaite essuyée par les troupes françaises le 2 septembre 1870 mettait fin brutalement à un régime qui s'effondrait en même temps que l'empereur.

Sommaire

LORSQUE, LE **10 DÉCEMBRE 1848**, les élections amenèrent à la présidence de la République Louis Napoléon, le parti de l'ordre triompha. Avec près de cinq millions et demi de voix, l'héritier des Bonaparte laissait loin derrière lui les candidats républicains et socialistes, Cavaignac, Ledru-Rollin, Raspail et Lamartine. Le premier et le plus redoutable d'entre eux fut d'ailleurs surpris de sa large défaite pour ne pas avoir compris que sa personne et son parti s'étaient déconsidérés aux yeux du peuple français par la brutale répression des émeutes de juin. De leur côté, bourgeois et propriétaires se méfiaient des « rouges », auxquels ils reprochaient de vouloir tout bouleverser au nom de leurs théories et qui leur semblaient les héritiers de 1793. En revanche, le candidat bonapartiste avait rallié, dès l'annonce de sa candidature, de nombreux suffrages : la tradition napoléonienne était encore vivace dans de nombreuses régions de France et les paysans se montraient particulièrement favorables au neveu de l'Empereur. Les ouvriers appréciaient aussi cet homme qui s'était penché sur leur sort dans son ouvrage sur l'*Extinction du paupérisme*. Pour tous, le nom même de Napoléon ressuscitait un grand passé de gloire nationale et bien des Français ne faisaient guère la différence entre l'Empereur et cet inconnu placé au premier rang de la République. Quant aux hommes politiques, ceux qui avaient fait la

révolution de 1848, ils avaient tendance à mépriser cet homme dont ils s'étaient servi. Traduisant tout haut l'opinion de beaucoup, Thiers l'avait qualifié de « crétin », un crétin que chacun espérait manœuvrer à sa guise.

Ces stratèges politiques oubliaient trop facilement que le nouveau président était aussi l'homme qui, par deux fois, lors de ses tentatives de Strasbourg et de Bou-

1851 Le coup d'Etat du 2 Décembre

logne, avait fait la preuve de ses ambitions. Manifestement, ils ne se souvenaient pas que, depuis la mort de l'Aiglon en 1832, Louis Napoléon se présentait comme le chef de la famille Bonaparte et le successeur de Napoléon Ier. Jugeant que le roi de Rome avait régné momentanément en 1815 sous le nom de Napoléon II, il se désignait lui-même comme le futur Napoléon III. Mais personne, hormis ses intimes, ne comprit alors que ce président, considéré par beaucoup comme un instrument, était en train de jouer une partie capitale : s'il la gagnait, elle ferait de lui un empereur.

Énigmatique, silencieux, Louis Napoléon sut cacher son jeu pendant les premiers mois de son mandat, ménageant les parlementaires et les hommes politiques, multipliant les déclarations rassurantes. Pourtant, petit à petit, sans jamais abattre ses cartes, il orienta l'exercice de sa charge vers un autoritarisme de plus en plus sensible dans ses rapports avec ses ministres et le personnel politique. Ce « crétin » devenait un « fourbe », à la grande consternation des chefs modérés. Il savait, de plus, se faire connaître du pays : visite aux malades des hôpitaux, tournées dans les casernes, promenades dans les faubourgs de Paris, autant de moyens d'accroître sa popularité. Et, à la fin de 1849, il pouvait affirmer clairement dans un message au pays : « Le nom de Napoléon est à lui seul un programme. »

Cette aigle impériale menaçante semble annoncer l'Empire autoritaire. Lithographie de Lévêque, B. N., cabinet des Estampes. *Phot. Larousse.*

PENDANT L'ANNÉE 1850, Louis Napoléon et l'Assemblée législative s'étaient entendus pour faire voter une série de lois réactionnaires destinées à museler les républicains : la loi Falloux supprimant le monopole de l'Université et favorisant les congrégations religieuses, la loi du 31 mai restreignant le nombre des électeurs et la loi du 16 juillet limitant la liberté de la presse. Cependant, si députés et prince-président étaient d'accord pour faire régner l'ordre, les buts qu'ils visaient étaient bien différents : la majorité royaliste de l'Assemblée posait des jalons pour rétablir la monarchie en France. Louis Napoléon œuvrait pour transformer la république en empire. Entre ces parlementaires affaiblis par leurs divisions internes et cet homme qui, petit à petit, faisait basculer l'opinion publique de son côté, la lutte était inégale. Les maladresses des uns, l'acharnement de l'autre préparaient le retour de l'empire.

Vers le second Empire

Louis Napoléon se fait connaître.
Très isolé à ses débuts à l'Élysée, considéré par beaucoup comme un personnage insignifiant dont on raillait l'accent germanique, Louis Napoléon sut s'entourer d'un petit groupe d'hommes efficaces qui se distribuèrent les rôles pour la conquête du pouvoir.

Le plus ancien de ces fidèles, Fialin de Persigny, l'ami de toujours, complice des folles équipées de Strasbourg et de Boulogne, s'était fait le commis voyageur du bonapartisme en France. Un viveur ruiné, Fleury, par sa parfaite connaissance de l'armée, fut son complément indispensable. L'âme du complot, c'était le duc de Morny, fils adultérin de la reine Hortense et du général de Flahaut et, par conséquent, demi-frère de Louis Napoléon. Intelligent et brillant, il avait hérité de son grand-père Talleyrand un cynisme efficace qui lui permit d'être l'allié le plus précieux du prince-président. Cet habitué des maisons de jeux savait préparer avec patience le coup qui le ferait gagner. À ces trois hommes se

Cette première photographie de Louis Napoléon le montre tel qu'il était au moment du coup d'État, un homme aux traits alourdis auquel des yeux glauques conféraient un air énigmatique. Coll. Sirot. *Phot. Tallandier.*

Le prince Louis Napoléon conduisant son phaéton. Grand amateur de chevaux et d'attelages, le prince-président aimait souvent prendre la place de son cocher pour conduire lui-même sa voiture. Peinture d'Audy, musée de Compiègne. *Phot. J. Dubout, archives Tallandier.*

oignirent d'autres exécutants tout aussi dévoués à la cause bonapartiste : le général de Saint-Arnaud, qui s'était illustré pendant la campagne d'Algérie ; Magnan, un ancien officier du premier Empire, arriviste et retors ; Maupas, un jeune homme ambitieux qui avait misé sa réussite sur Louis Napoléon. Ces six hommes furent les seuls véritables confidents des ambitions du prince-président et constituèrent autour de lui une équipe dynamique, fort moderne dans les méthodes utilisées. Miss Howard, la maîtresse anglaise de Louis Napoléon, fournit aux conjurés les fonds nécessaires à la réalisation de leurs projets.

Pendant les années 1850-51, le prince-président se montra partout. Des tournées en province lui permirent de soulever l'enthousiasme des foules qui le saluaient aux cris de « Vive l'empereur ! » Dans les discours qu'il prononçait aux étapes, il s'efforçait de répondre aux aspirations du public qui l'écoutait, se présentant alternativement comme le défenseur de l'ordre, de la propriété, de la religion, des ouvriers ou des paysans. La légende napoléonienne était abondamment utilisée pour auréoler de gloire l'avenir qu'il présentait aux Français. Des sociétés bonapartistes se constituèrent dans toute la France pour contribuer à la popularité de Louis Napoléon. L'armée n'était pas oubliée : revêtu de l'uniforme, le président visitait les casernes, fai-

Le duc de Morny. Le demi-frère du prince Louis Napoléon avait une réputation bien établie de viveur et de joueur. Mais sous l'apparence d'un jouisseur se cachait un redoutable tacticien, capable aussi bien de se lancer dans de hardies spéculations financières que de préparer l'audacieux coup d'État qui allait permettre d'imposer l'empire à la France. Coll. Sirot. *Phot. Tallandier.*

Le général de Saint-Arnaud. Après une jeunesse aventureuse, Saint-Arnaud s'illustra en 1850 dans une expédition en Kabylie. Le prince-président, profitant de cette affaire, le nomma général de division, puis ministre de la Guerre. Par des mesures destinées à améliorer le sort des soldats, Saint-Arnaud sut attacher l'armée à la cause bonapartiste. Peinture de Philippe Larivière, musée du château de Versailles. *Phot. Lauros-Giraudon.*

sait des distributions supplémentaires d'aliments et de vin aux soldats, auxquels il rappelait les fastes guerriers de l'Empire. Le 10 octobre 1850, lors d'une revue militaire à Satory, la cavalerie le salua en criant : « Vive Napoléon ! » Le général Changarnier, commandant militaire de Paris, blâma dans son ordre du jour ces manifestations jugées séditieuses. Le président ne répliqua pas sur le moment, mais, en janvier suivant, Changarnier fut relevé de ses fonctions.

En conflit avec l'Assemblée. En moins de deux ans, Louis Napoléon était

Louis Napoléon parcourant les boulevards. Le prince-président sut se faire connaître du peuple parisien en se rendant à l'improviste dans les faubourgs, accompagné ou non d'une escorte. Son affabilité naturelle, son art pour trouver le mot juste le rendirent très vite populaire auprès du petit peuple de Paris, qui saluait en lui l'héritier de Napoléon Ier. B. N., cabinet des Estampes.
Phot. B. N.

parvenu à se faire connaître du pays et il pouvait s'appuyer sur une opinion publique très favorable à son égard. Mais il savait que ses pouvoirs de président prendraient fin en mai 1852. D'après la Constitution, il lui était impossible de briguer sa réélection. Appuyé par un comité de soutien constitué dès mars 1851, le prince demanda donc à l'Assemblée la révision de l'article relatif à la non-rééligibilité du président. Le succès qu'avait remporté dans le pays la campagne menée par les révisionnistes lui semblait être de nature à faire pression sur les députés. Cependant, en juillet 1851, les débats s'engagèrent à la Chambre dans un climat houleux. On remarqua particulièrement une violente diatribe de Victor Hugo contre celui qu'il appelait « Napoléon le Petit ». Lorsque le vote intervint, la majorité des trois quarts, nécessaire pour la révision, ne fut pas atteinte. La situation était alors claire pour Louis Napoléon : il lui fallait envisager de revenir à la vie privée en 1852 ou bien prendre le pouvoir par la force. Il était d'autant plus urgent pour le président de prendre l'initiative d'un coup d'État qu'il savait que les monarchistes préparaient de leur côté une action en faveur d'un fils de Louis-Philippe.

Toutes les précautions avaient été prises par Louis Napoléon, qui avait placé ses amis aux postes clés de l'État : l'indispensable Morny détenait le ministère de l'Intérieur ; Saint-Arnaud devint, le 27 octobre, ministre de la Guerre ; Magnan avait remplacé Changarnier à la tête de l'armée de Paris ; quant à Maupas, il avait été nommé préfet de police à la place de l'orléaniste Carlier.

Il ne restait plus au prince-président qu'à discréditer publiquement l'Assemblée législative. C'est ce qu'il fit le 4 octobre en lui proposant de réviser la loi électorale de mai 1850 et de rétablir le suffrage universel. Les parlementaires tombèrent dans le piège et repoussèrent le projet de loi. Ils s'isolaient ainsi du monde ouvrier et paysan. Les manœuvres du petit groupe de conjurés avaient parfaitement réussi et, à la fin de l'année 1851, sûr à la fois de l'opinion publique et de l'armée, Louis Napoléon pouvait envisager de tenter avec succès son coup d'État : dissoudre l'Assemblée législative et rester le seul maître. Ses dernières hésitations furent levées par

La réconciliation des compagnons. Depuis les journées de juin 1848, les ouvriers gardaient une profonde rancune contre les républicains modérés et les parlementaires. Aussi ne manifestèrent-ils aucune véritable opposition au coup d'État, qui leur semblait dirigé contre l'Assemblée nationale. Leur passivité fut un des plus solides atouts de Louis Napoléon. Lithographie, musée des Arts et Traditions populaires, Paris. *Phot. Lauros-Giraudon.*

Les forgerons. Louis Napoléon s'était toujours intéressé au sort très dur des travailleurs et, dans plusieurs ouvrages composés au fort de Ham, avait demandé l'accès de la classe ouvrière à la propriété et la redistribution des terres non cultivées. Ces thèses généreuses, exprimées souvent de façon un peu fumeuse, avaient attiré sur Louis Napoléon la sympathie des socialistes de son époque, qui appréciaient son « sens social ». Peinture de François Bonvin, musée des Augustins, Toulouse. *Phot. Lauros-Giraudon.*

ses intimes, et les conspirateurs arrêtèrent la date du 2 décembre, double anniversaire de la victoire d'Austerlitz et du sacre de Napoléon Ier.

L'opération Rubicon. « S'il y a un coup de balai, croyez bien, madame, que je tâcherai d'être du côté du manche ! » Ce fut la seule réponse que Morny, en souriant, donna à la question posée par une spectatrice de l'Opéra-Comique, où, dans la soirée du 1er décembre, il assistait au spectacle. Depuis plusieurs semaines, des bruits couraient dans les salons et les milieux politiques de Paris. La tension était de plus en plus grande entre le prince-président et l'Assemblée et chacun sentait confusément qu'une crise se préparait. Cependant, rien n'avait transpiré du coup de force qu'avaient fomenté dans le plus grand secret Louis Napoléon et ses fidèles.

Ratapoil et son état-major. Le personnage populaire de Ratapoil incarnait les partisans de Louis Napoléon. Comme lui, l'armée, lors de plusieurs manifestations, acclama le prince-président en criant « Vive l'empereur ! ». Lithographie de Daumier, B. N., cabinet des Estampes.
Phot. B. N.

Louis Napoléon et ses collaborateurs pendant la nuit du 1er décembre. De gauche à droite Mocquart, Saint-Arnaud, Morny et Persigny aux côtés du prince-président dans son cabinet de travail de l'Élysée. Une dernière fois, les conspirateurs vérifièrent point par point les différentes étapes du plan *Rubicon* et se préparèrent à envoyer à l'Imprimerie nationale le texte des deux proclamations. Gravure de E. Leguay d'après Philippoteaux, B. N., cabinet des Estampes.
Phot. B. N.

Nul, dans le personnel politique, ne se doutait de ce qui se préparait. Les ministres ignoraient tout et les parlementaires consacrèrent au chemin de fer de Lyon ce qui sera leur dernière séance. Personne ne sembla s'inquiéter lorsque, le 1er décembre, les régiments des garnisons voisines de Paris gagnèrent la capitale.

Le soir du 1er décembre, il y avait bal à l'Élysée. Lorsque, à 10 heures, les invités se dispersèrent, Louis Napoléon se retira dans son bureau. Devant Morny (revenu de l'Opéra-Comique), Saint-Arnaud, Persigny, Maupas, auxquels se joignit Mocquart, son secrétaire, le prince-président sortit d'un tiroir un dossier intitulé « Rubi-

con ». Dans son adolescence, Louis Napoléon avait tenu à remplir un flacon de l'eau du Rubicon, ce petit fleuve devenu pour l'histoire le symbole du coup d'État réussi de Jules César. En souvenir de cet épisode de sa jeunesse, il avait choisi de baptiser Rubicon l'entreprise qu'il menait pour s'emparer du pouvoir. Comme pour César des siècles auparavant, les dés étaient jetés pour Louis Napoléon dans cette nuit du 1er décembre.

Ce fut une nuit de veille qui s'ouvrit pour les six hommes réunis dans le bureau présidentiel et, comme ils l'avaient minutieusement prévu, tout se mit en place. Le texte des deux proclamations qui devaient

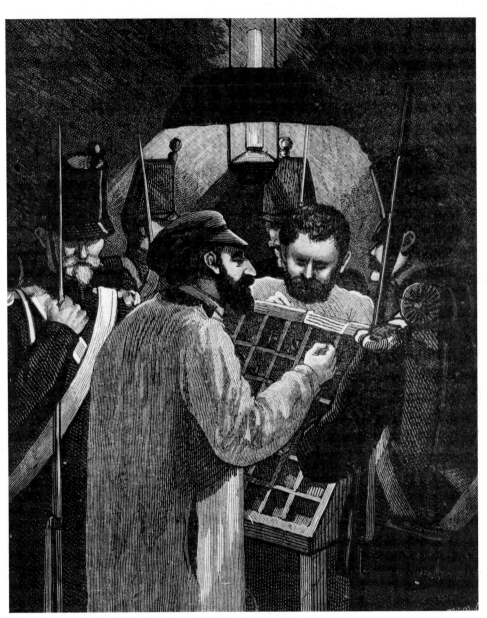

Les ouvriers de l'Imprimerie nationale composent la proclamation de Louis Napoléon. Les soldats avaient reçu l'ordre de faire feu sur tout ouvrier qui tenterait de sortir.
Phot. B. N.

AU NOM DU PEUPLE FRANÇAIS.

LE PRÉSIDENT DE LA RÉPUBLIQUE

DÉCRÈTE:

Art. 1.

L'Assemblée nationale est dissoute.

Art. 2.

Le Suffrage universel est rétabli. La loi du 31 mai est abrogée.

Art. 3.

Le Peuple français est convoqué dans ses comices à partir du 14 décembre jusqu'au 21 décembre suivant.

Art. 4.

L'état de siége est décrété dans l'étendue de la 1re division militaire.

Art. 5.

Le Conseil d'État est dissous.

Art. 6.

Le Ministre de l'intérieur est chargé de l'exécution du présent décret.

Fait au Palais de l'Élysée, le 2 décembre 1851.

LOUIS-NAPOLÉON BONAPARTE.

Le Ministre de l'Intérieur,

DE MORNY.

IMPRIMERIE NATIONALE — Décembre 1851.

Proclamation du coup d'État. En décrétant la dissolution de l'Assemblée nationale et du Conseil d'État, Louis Napoléon se plaçait dans l'illégalité. Cependant, personne à Paris, à l'exception des députés républicains, ne s'émut outre mesure des termes de cette proclamation affichée dans la capitale. B. N., cabinet des Estampes.
Phot. B. N.

Arrestation des députés à la mairie du Xe arrondissement. Des députés de droite, réunis le matin du 2 décembre dans la mairie du Xe arrondissement (aujourd'hui VIIe arrondissement), votèrent la déchéance du président. Mais, cernés par la troupe, ils durent évacuer la mairie et, sous les cris hostiles de la foule, furent conduits à pied à la caserne du quai d'Orsay. Il n'y avait pas eu en effet assez de voitures pour les amener à la prison de Mazas. Gravure de Ladmiral d'après Philippoteaux.
Phot. H. Roger-Viollet.

être affichées le lendemain fut apporté à l'Imprimerie nationale. Les ouvriers furent convoqués en hâte et, pour prévenir tout refus de leur part — ils étaient républicains —, des gendarmes mobiles furent placés tout autour du bâtiment. Le texte fut donné par fragments aux typographes, qui ne purent ainsi comprendre le sens général des affiches qu'ils composaient. À quatre heures du matin, tout fut terminé, et les paquets de feuilles imprimées furent apportées chez Maupas.

Pendant ce temps, les régiments, sur l'ordre de Saint-Arnaud, se préparèrent à occuper les points stratégiques de Paris. Le palais Bourbon fut investi par un bataillon. Des commissaires de police furent chargés de procéder à l'arrestation des principaux parlementaires, Thiers, les généraux Changarnier, Lamoricière, Cavaignac et Bedeau, ainsi que des agitateurs

qui s'étaient fait connaître lors des journées de juin 1848. Surpris dans leur sommeil, tous ces hommes se laissèrent emmener sans résistance vers la prison parisienne de Mazas. À 7 heures du matin, Maupas fut informé que tout s'était déroulé comme prévu. La première phase de l'opération Rubicon avait parfaitement réussi.

La journée du 2 décembre. Au petit matin du 2 décembre, les Parisiens, en se réveillant, découvrirent sur leurs murs les deux proclamations qui avaient été placardées pendant la nuit. Sur la première affiche, Louis Napoléon annonçait la dissolution de l'Assemblée législative et convoquait le peuple français pour lui soumettre une nouvelle constitution. Le second placard contenait un appel au peuple.

Paris accueillit dans le calme ces proclamations. S'il n'y avait eu aux carrefours

La recherche des armes. Pendant la nuit du 1er au 2 décembre, le préfet de police fit arrêter les principaux adversaires de Louis Napoléon. L'opération se fit simultanément dans tous les quartiers de Paris. Ce qui ne laissa à aucune des personnalités arrêtées la possibilité de s'échapper. *The illustrated London News*, B. N., cabinet des Estampes.
Phot. B. N.

Louis Napoléon parcourt les rues de Paris au soir du 2 décembre. Cette scène imaginée par un dessinateur allemand ne correspond pas à la réalité. En fait, le prince sortit de l'Élysée au matin du 2 décembre alors que Paris n'était pas encore endeuillé par la fusillade du 4 décembre. Louis Napoléon pouvait encore croire que son coup d'État se ferait sans effusion de sang. Lithographie de G. Bartsch, B. N., cabinet des Estampes.
Phot. B. N.

des attroupements de curieux qui commentaient les affiches, nul ne se serait douté que le destin du pays avait été bouleversé. Les Parisiens constatèrent qu'en différents points de la ville la troupe était massée, mais ils restèrent tranquilles, plus occupés à propager la nouvelle qu'à s'armer. La passivité dont ils firent preuve constitua sans doute le meilleur atout du prince-président pendant cette journée décisive du 2 décembre.

À la fin de la matinée, Louis Napoléon, à cheval, sortit de l'Élysée et gagna la place de la Concorde, suivi de son oncle Jérôme et d'une escorte de généraux. L'armée l'accueillit aux cris de « Vivre l'empereur ! » Sans entrer dans le palais des Tuileries, ce qui semble avoir été son dessein initial, Louis Napoléon rebroussa chemin vers l'Élysée, assuré de l'appui de l'armée.

Cependant, la résistance s'organisait du côté des parlementaires. Une quarantaine de députés parvinrent à pénétrer dans la salle des séances de l'Assemblée, mais ils furent rapidement délogés par les gendarmes. Dans la mairie du Xe arrondissement, rue de Grenelle, plus de 200 députés se regroupèrent et, à l'instigation de Berryer, votèrent la déchéance de Louis Napoléon. Cependant, ils se perdirent en tergiversations. Leurs lenteurs laissèrent à la police le temps de cerner le pâté de maisons. Les députés, sans esquisser la moindre résistance, sortirent de la mairie et furent emmenés en troupeau à la caserne du quai d'Orsay, sous les regards ironiques de la foule, fort satisfaite de voir ainsi traiter les parlementaires.

Michel de Bourges. Le député de la Montagne, Louis-Chrysostome Michel, dit Michel de Bourges, s'était refusé à croire que Louis Napoléon préparait un coup d'État, car il pensait que l'armée resterait fidèle à la république. Son erreur, partagée par de nombreux députés, servit les desseins de Louis Napoléon. Portrait anonyme, musée municipal, Bourges.
Phot. du musée.

Appel au peuple rédigé par Victor Hugo. Le poète s'était retrouvé avec quelques députés de la Montagne pour tenter de s'opposer efficacement au coup d'État. Cette mise hors la loi de Louis Napoléon fut composée dans la fièvre par Hugo, qui en dicta le texte à Baudin. Sur une seconde affiche, les Montagnards annonçaient que les gardes nationales des départements marchaient sur la capitale pour aider les Parisiens à « se saisir du traître ». Musée Victor-Hugo.
Phot. Bulloz.

La mort de Baudin. Devant des ouvriers indifférents, le député ceint de son écharpe tricolore s'élance sur la barricade. Ce qui n'aurait pu n'être qu'un incident allait servir à nourrir la légende antibonapartiste. Peinture de Méjanel, B. N., cabinet des Estampes.
Phot. B. N.

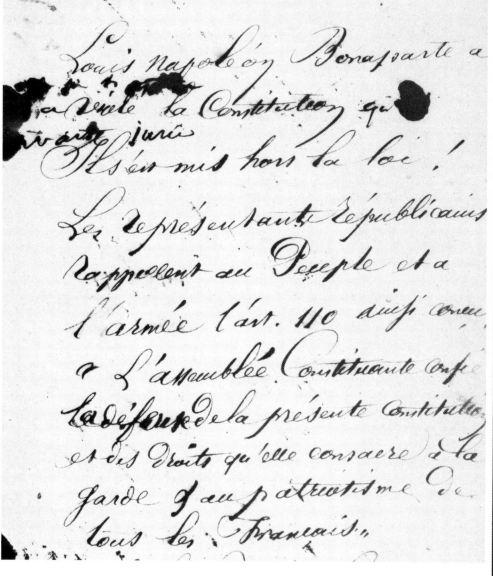

De leur côté, les républicains tentèrent vainement de constituer un groupe capable de répondre au coup de force de Louis Napoléon. Les plus déterminés, Victor Hugo, Schœlcher, Michel de Bourges, Baudin réunirent leurs compagnons rue Blanche. Hugo rédigea un appel au peuple et à l'armée que l'on fit afficher dans tout Paris. Le reste de la journée se passa en parlotes, en réunions stériles, en vote de motions toutes plus inutiles les unes que les autres. Les députés savaient combattre par la parole ou par la plume, mais ils se montraient bien incapables d'affronter l'armée. Lorsque la nuit tomba, le 2 décembre, Louis Napoléon était toujours le maître du jeu.

Mourir pour 25 francs. La nuit fut calme, mais, au matin, l'opposition prit une forme nouvelle. Les représentants républicains se décidèrent à appeler le peuple aux armes. Une douzaine d'entre eux, ceints de l'écharpe tricolore, gagnèrent le faubourg Saint-Antoine, où ils dressèrent des barricades et voulurent, sans grand succès, s'assurer l'appui des ouvriers. Lorsque, de la Bastille arrivèrent trois compagnies du 19e de ligne, les ouvriers s'écartèrent et l'un d'eux lança au député Baudin : « Croyez-vous que nous allons nous faire tuer pour vous conserver vos 25 francs ? » faisant ainsi allusion à l'in-

demnité journalière des députés. Piqué au vif, Baudin répliqua : « Vous allez voir comment on meurt pour 25 francs ! » et s'élança sur la barricade. Et, alors que la troupe et les insurgés échangeaient quelques coups de feu, il eut la tête fracassée d'une balle. Le premier moment d'émotion passé, les ouvriers du faubourg Saint-Antoine retombèrent dans leur indifférence.

Toute la journée du 3 décembre, les parlementaires tentèrent de soulever différents quartiers de Paris. Dans le carré Saint-Martin, le quartier de Beaubourg, des barricades s'élevèrent, mais, à aucun moment, les députés ne provoquèrent de véritable enthousiasme chez les Parisiens et leurs appels à la solidarité restèrent vains. Morny, installé au ministère de l'Intérieur, organisait la riposte. Craignant à juste titre que l'armée ne s'épuisât en engagements partiels, il donna l'ordre de repli et fit rentrer les troupes dans les casernes. Connaissant le petit nombre des combattants des barricades, il reprenait la tactique utilisée par Lamoricière lors des journées de juin 1848 : laisser se développer l'insurrection pour mieux encercler les émeutiers et les écraser d'un seul coup.

La fusillade des Boulevards. Pendant la matinée du 4 décembre, les insurgés, enhardis par l'absence de l'armée, se concentrèrent entre le château d'eau et le boulevard Bonne-Nouvelle. Morny laissa

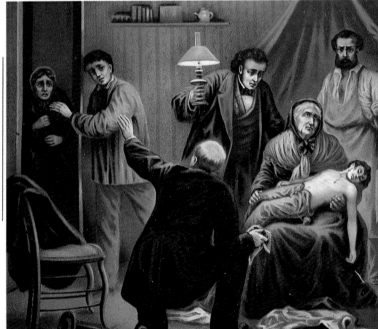

Le massacre du 4 décembre. Pris d'une folie meurtrière, les soldats s'élancèrent dans les rues à la poursuite des passants. Canrobert ordonna d'enfoncer à coups de canon les portes des maisons dans lesquelles s'étaient réfugiés les Parisiens. Le soir, on ramassa sur les trottoirs ou sous les portes cochères plusieurs dizaines de cadavres. Dessin d'A. Marie, B. N.
Phot. Larousse.

La fusillade des Boulevards. Peut-être, dans cet après-midi du 4 décembre, un coup de feu fut-il tiré d'une maison de la rue du Sentier sur la troupe qui défilait. Toujours est-il que les soldats ouvrirent le feu sur la foule des promeneurs massés sur les Grands Boulevards. Dans une panique indescriptible, les Parisiens terrorisés s'enfuirent en se bousculant devant les pelotons. Gravure de Ladmiral.
Phot. H. Roger-Viollet.

les barricades s'élever dans Paris sans tenter de s'y opposer. Mais, à 2 heures, les soldats reposés sortirent des casernes et encerclèrent les émeutiers. Les forces en présence étaient inégales et 40 000 hommes de troupe écrasèrent sans difficulté les quelque 2 000 combattants des barricades. En moins de trois heures, le plan de Morny était exécuté selon ses prévisions.

La foule parisienne fut la dernière victime du coup d'État : sur les Grands Boulevards, les badauds assistaient, comme au spectacle, à l'avancée des troupes. Dans des conditions mal établies, la brigade du général Canrobert ouvrit le feu sur cette foule et massacra plus d'une centaine de ces passants inoffensifs, pourchassant les promeneurs terrorisés dans les couloirs des

« L'enfant avait reçu deux balles dans la tête. » Destiné à illustrer un poème des *Châtiments* de Victor Hugo, ce tableau traduit la stupeur indignée qui saisit les Parisiens au soir du 4 décembre. On accusa sans preuve les hommes du coup d'État d'avoir provoqué la fusillade pour impressionner les esprits. Mais le second Empire allait être définitivement souillé par le sang versé sur les Boulevards. Illustration d'après une peinture de Méjanel, B. N.
Phot. Tallandier.

Exécution de deux prisonniers à Salerne (Var). Le coup d'État provoqua des insurrections sporadiques dans les petites villes et les campagnes. Des affrontements sanglants opposèrent l'armée aux manifestants, et la répression prit un caractère beaucoup plus violent dans les provinces qu'à Paris. Taxile Delord, *Histoire du second Empire*, B. N.
Phot. B. N.

immeubles, tuant aveuglément hommes, femmes et enfants.

La fusillade des Grands Boulevards marqua la fin de l'insurrection. Frappés d'horreur par ce massacre, les Parisiens abandonnèrent toute velléité de résistance pendant les jours qui suivirent. Au soir du 4 décembre, Louis Napoléon et ses fidèles avaient définitivement remporté la partie engagée deux jours plus tôt.

La province s'agite. Si la partie était gagnée à Paris dès le 4 décembre, le coup d'État suscita en province des soulèvements beaucoup plus violents. Dans une vingtaine de départements, on prit les armes, mais les mouvements des protestataires furent rapidement écrasés par l'armée. Le gouvernement eut beau jeu de tirer parti de l'origine rurale de nombre des manifestants pour présenter ces soulèvements comme des jacqueries et mettre ainsi de son côté les bourgeoisies locales.

La répression menée par le pouvoir fut terrible et dura plusieurs mois : trente-deux départements furent placés en état de siège. Dans chaque département, une commission mixte, composée d'un général, d'un préfet et d'un procureur, jugea des milliers de suspects ; 27 000 arrestations furent effectuées et les inculpés condamnés à la déportation, à l'exil ou à l'internement. Pour raison de sûreté générale, on expulsa aussi de France 65 députés, dont Victor Hugo, Thiers et Schœlcher.

Tirant habilement parti des mouvements d'agitation de la province, le pouvoir présenta la consultation populaire annoncée le 2 décembre comme nécessaire au rétablissement de l'ordre. Brandissant la menace du « péril rouge », Louis Napoléon s'acquit facilement le concours des notables et de l'Église. Les 21 et 22 décembre 1851, plus de 7 millions de Français approuvèrent par plébiscite le maintien de l'autorité de Louis Napoléon et « lui déléguèrent les pouvoirs pour établir une constitution sur les bases proposées dans sa proclamation ». Ils n'avaient pas été 650 000 à voter non. La dictature impériale pouvait s'installer.

L'empire se prépare. Au lendemain du coup d'État, Louis Napoléon se comportait déjà en empereur. Le 1er janvier 1852, après un *Te Deum* célébré à Notre-Dame, il quittait l'Élysée pour s'installer aux Tuileries. Il ne lui restait plus qu'à liquider définitivement les institutions républicaines en promulguant la Constitution nouvelle.

Une commission de 80 membres fut désignée pour préparer cette Constitution, mais, devant ses lenteurs, le prince confia à deux juristes, Rouher et Troplong, le soin de rédiger le texte. En moins de quarante-huit heures, le travail était achevé. Promulguée le 14 janvier 1852, la Constitution conservait en apparence les institutions républicaines, mais établissait en fait un régime dictatorial. Le pouvoir exécutif était

MINISTÈRE DE L'INTÉRIEUR.

AVIS
AU PEUPLE FRANÇAIS.

Il est bien entendu que ceux qui veulent maintenir LOUIS-NAPOLÉON BONAPARTE et lui donner les pouvoirs pour établir une Constitution sur les bases indiquées dans sa proclamation du 2 décembre, doivent voter avec un bulletin portant le mot :

OUI.

7 IMPRIMERIE NATIONALE. — Décembre 1851.

Distribution des bulletins de vote dans les mairies de Paris. À la différence de la province, les Parisiens ne votèrent *oui* qu'à une faible majorité. *L'Illustration.* Phot. Larousse.

Avis au peuple français. Morny avait d'abord décidé de faire voter par écrit sur les registres des mairies et, pour entraîner l'adhésion du pays, on avait commencé par consulter l'armée. Mais les *non* exprimés par certains officiers firent changer d'avis le gouvernement et on décida d'en revenir au bulletin secret. Le plébiscite du 21 décembre 1851 fut un triomphe pour Louis Napoléon, qui obtenait 2 millions de voix de plus qu'en 1848. B. N.
Phot. B. N.

Prestation de serment des grands corps de l'État. Le 29 mars 1852, les sénateurs et les députés, réunis dans la salle des Maréchaux, au palais des Tuileries, prêtèrent serment au prince-président. Ce dernier prononça un discours dans lequel il promettait de rendre les libertés si le pays restait calme. En termes voilés cependant, il laissait entrevoir la possibilité d'une restauration de l'empire en sa faveur. Dessin et lithographie d'A. Provost, B. N., cabinet des Estampes.
Phot. B. N.

Le *Te Deum* célébré à Notre-Dame de Paris. Le 1er janvier 1852, en guise d'action de grâces après le plébiscite, Louis Napoléon assista à un *Te Deum* solennel et entra dans Notre-Dame au son de la *Marche triomphale* composée par Lesueur pour le sacre de Napoléon Ier. Pendant les semaines qui suivirent, le prince-président s'affirma de plus en plus comme le successeur du grand empereur. Lithographie de Lordereau, B. N., cabinet des Estampes.
Phot. B. N.

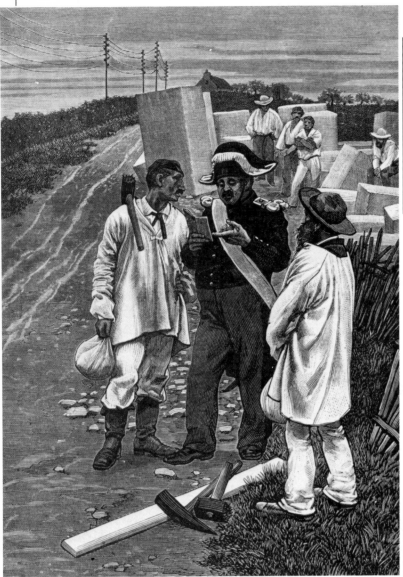

Contrôle du livret ouvrier. Depuis le Consulat, les ouvriers étaient munis d'un livret sur lequel étaient notés leur signalement et les dates de leurs différents embauchages. Ce livret était fort impopulaire chez les ouvriers, car il comportait des notations sur leur travail. Louis Napoléon aurait désiré sa suppression ; cependant, il allait le rendre obligatoire en 1854. Taxile Delord. *Histoire du second Empire.* Phot. B. N.

confié à un président élu pour dix ans, qui avait l'initiative des lois, nommait les ministres et pouvait consulter le peuple par plébiscite. Le Corps législatif, élu au suffrage universel, votait les projets de loi. Gardien de la Constitution, le Sénat, composé d'amiraux, de maréchaux, de cardinaux et de personnalités nommées par le président, pouvait s'opposer aux lois contraires à la Constitution et modifier celle-ci par sénatus-consulte. Enfin un Conseil d'État de 40 ou 50 membres désignés par le président élaborait les lois.

Voyage de Louis Napoléon a Marseille. La tournée que le prince-président fit en province à l'automne de 1852 lui permit d'être rassuré sur sa popularité. Les préfets avaient reçu l'ordre de faire acclamer le prince, mais la ferveur populaire n'avait pas besoin d'encouragements pour saluer en Louis Napoléon le futur empereur. B. N. Phot. J. Dubout, archives Tallandier

Louis Napoléon faisant un discours devant les magistrats. Le prince-président ne manqua aucune occasion pendant l'année 1852 pour affirmer qu'il était garant de l'ordre. B. N. Phot. Tallandier

Cette Constitution, rédigée à la hâte, était loin d'être complète ; dans les mois qui suivirent, elle fut donc prolongée par plusieurs décrets. Celui du 2 février organisa les élections et celui du 17 février bâillonna la presse en imaginant le système de l'« avertissement », qui permettait de supprimer de façon temporaire ou définitive un journal. Mais le décret qui suscita sur le moment le plus de réprobation fut celui du 22 janvier confisquant les biens de la famille d'Orléans. « C'est le premier vol de l'Aigle », accusèrent les royalistes.

Le « voyage d'interrogation ». Fort de cette Constitution, Louis Napoléon paracheva son œuvre en préparant l'opinion publique au rétablissement définitif de l'empire. Le 27 mars, il décréta fête nationale le 15 août, jour de la Saint-Napoléon, et redonna au Code civil le nom de Code Napoléon. Des aigles ornèrent les portes des Tuileries.

Poussé par son entourage qui s'inquiétait des réactions de la province, le prince entreprit en septembre et en octobre un « voyage d'interrogation » à travers la France. Dans les départements du Centre et du Midi qu'il traversa, il fut accueilli très favorablement par des foules considérables auxquelles, sur l'ordre de Persigny, on faisait crier « Vive l'empereur ! » À Bordeaux, le 9 octobre, en conclusion de son discours, Louis Napoléon s'écria : « L'Empire, c'est la paix ! », traduisant ainsi les aspirations profondes des Français qui l'écoutaient et rassurant du même coup les puissances européennes qui suivaient avec inquiétude l'irrésistible ascension de ce nouveau Napoléon.

Sur le chemin du retour, Louis Napoléon eut un geste inattendu et spectaculaire : faisant halte au château d'Amboise, où était détenu depuis 1847 Abd el-Kader, il annonça à ce dernier qu'il mettait fin à sa captivité. Un geste dont Abd el-Kader sera reconnaissant à la France sa vie durant.

À la fin de ce voyage qui le conforta dans ses résolutions, Louis Napoléon fit une entrée triomphale à Paris le 16 octobre, sous les acclamations d'une foule en délire.

Louis Napoléon devient Napoléon III. Le 7 novembre 1852, un sénatus-consulte rétablissait la dignité impériale dans la personne de Louis Napoléon, et l'on fixa aux 21-22 novembre un plébiscite demandant aux Français par la voix des urnes d'approuver ce sénatus-consulte. Préparé dans l'allégresse, le plébiscite décida par 7 824 000 voix contre

Rentrée de Louis Napoléon à Paris le 16 octobre 1852. À l'issue de sa tournée triomphale en province, le prince-président déchaîna l'enthousiasme des Parisiens lorsque, au son du canon et des cloches de toutes les églises, il pénétra dans la capitale. Cette allégresse allait être entretenue jusqu'au plébiscite de novembre rétablissant l'empire. Peinture de Philippe Larivière, musée du château de Versailles.
Phot. Réunion des musées nationaux.

Napoléon III fait son entrée dans Paris le 2 décembre 1852. Le jour anniversaire du coup d'État, le nouvel empereur quitta Saint-Cloud pour faire son entrée dans Paris. Passant à cheval sous l'Arc de triomphe encore flanqué des deux pavillons de la barrière de l'Étoile, il descendit les Champs-Élysées et passa en revue les troupes sur la place du Carrousel. Un moment, il avait pensé se faire couronner à Notre-Dame par le pape Pie IX, mais les négociations avec ce dernier échouèrent. Aquarelle de Théodore Jung, château de Compiègne.
Phot. Lauros-Giraudon.

253 000 du rétablissement de l'empire.

Le 2 décembre, un an après son coup d'État, Louis Napoléon devenait Napoléon III. Après avoir descendu les Champs-Élysées au milieu d'une foule enthousiaste, il reçut dans la salle du Trône, aux Tuileries, l'hommage des personnalités politiques, militaires et religieuses de la France. Il pouvait enfin signer : « Napoléon, par la grâce de Dieu et la volonté nationale, empereur des Français. »

Il sera plus difficile au nouvel empereur d'être accepté par les souverains européens, qui craignaient de voir remettre en cause les accords de 1815 et d'assister au renouvellement de la politique napoléonienne. Seule la Grande-Bretagne accepta sans réticences la proclamation de l'empire. En revanche, Autrichiens et Prussiens mirent du temps pour reconnaître le nouveau régime. Encore ne fût-ce qu'à contre-cœur. Le plus hostile de tous, le tsar de Russie, fut sur le point de rompre les relations diplomatiques avec la France. En définitive, il se contenta de manisfester sa mauvaise humeur en appelant Napoléon III « mon bon ami » au lieu de « mon frère », comme le voulait le protocole. À quoi le nouvel empereur des Français répondit avec esprit : « On subit ses frères, mais on choisit ses amis. »

Bulletin du plébiscite du 21 novembre. L'aigle impériale plane sur le mot *oui* qui faisait de Louis Napoléon le second empereur de la dynastie des Bonapartes. Considérant que le duc de Reichstadt avait régné, il prit le nom de Napoléon III. B. N., cabinet des Estampes.
Phot. B. N.

Emblème du second Empire. Le nouvel empereur fit composer son emblème à partir des motifs utilisés par Napoléon Ier et il s'employa à restituer les symboles du premier Empire. Napoléon III pouvait ainsi se présenter comme l'héritier naturel de son oncle et comme un souverain dont la légitimité avait été assurée par l'approbation populaire du plébiscite.
Phot. Tallandier.

Page suivante :
Première page d'une partition musicale. Un des thèmes essentiels de la propagande menée par Louis Napoléon fut de présenter l'empire comme le retour à la paix intérieure et extérieure, ce qui lui assura la neutralité des puissances européennes. B. N., cabinet des Estampes.
Phot. B. N.

20, *1851 LE COUP D'ÉTAT DU 2-DÉCEMBRE.*

NAPOLÉON III, empereur des Français : ce titre qu'il avait obtenu grâce à une entreprise savamment calculée, il allait s'en servir pour instaurer un régime autoritaire fondé sur la souveraineté populaire. L'essentiel du second Empire se trouvait déjà contenu dans le coup d'État du 2 décembre 1851 et il avait suffi de remplacer dans la Constitution de 1852 le mot « président » par celui d'« empereur ». Cet homme, qui prétendait incarner la tradition napoléonienne, s'affirmera toujours, par conviction à la fois personnelle et politique, le défenseur des principes de 1789. Hostile au parlementarisme, il entendit donner à son régime des bases populaires, maintenant le suffrage universel et consultant fréquemment les Français par la voie du plébiscite. Le rôle des Assemblées, en revanche, était fortement réduit : le Corps législatif, dont les séances n'étaient pas publiques, n'occupait qu'une place secondaire dans la vie politique du pays. D'ailleurs, pendant les premières années du second Empire, aucun républicain ne fut élu dans cette Assemblée et les députés, nommés grâce à la candidature officielle, se contentaient d'enregistrer docilement les décisions de l'empereur et de ses ministres. Le véritable travail législatif était accompli par le Conseil d'État, dont les membres, nommés par l'empereur, constituaient les principaux soutiens du pouvoir. En fait, dans le régime instauré par la Constitution de 1852, toute décision en politique intérieure ou extérieure était en définitive du seul ressort de Napoléon III. Et cette concentration des pouvoirs entre les mains d'un seul homme constitua la grande faiblesse du second Empire : il ne pouvait durer qu'autant que durait l'empereur. Une fois ce dernier disparu, le régime entier s'écroulait : les événements de 1870 le prouveront bien.

Tout, dans le pays, était subordonné aux volontés du souverain et la vie politique

1853-1860 L'Empire autoritaire

demeurait stagnante. Désirant restituer les fastes du premier Empire, Napoléon III s'attacha à organiser une cour particulièrement brillante destinée à illustrer l'éclat du nouveau régime. L'un des premiers actes de l'empereur fut de se marier. À l'égal des autres monarques européens, il se devait de fonder une dynastie. Plusieurs tentatives d'union avec les familles régnantes d'Europe échouèrent, car les souverains étrangers se méfiaient de Napoléon III, qu'ils considéraient comme un aventurier, et l'empereur dut se résigner à ne pouvoir épouser une sœur du tsar ou une nièce de Victoria.

Il se consola assez vite de ces déceptions, car il s'était épris d'une jeune Espagnole, Eugénie de Montijo, dont la beauté l'avait séduit. Le 22 janvier 1853, il informa les grands corps de l'État de ses projets de mariage : « J'ai préféré une femme que j'aime et que je respecte à une femme inconnue dont l'alliance eût eu des avantages mêlés de sacrifices. » Moins de deux mois après avoir été proclamé empereur, le 30 janvier, Napoléon III épousa Eugénie à Notre-Dame au cours d'une cérémonie qui, par sa magnificence, ouvrait l'ère des grandes fêtes impériales. La noblesse française, les cours européennes se moquèrent de ce mariage de « parvenus », mais la beauté éblouissante et la grâce altière de la nouvelle impératrice ainsi que le romanesque de ce mariage d'inclination emportèrent l'adhésion populaire.

L'empereur visitant les inondés de Tarascon en juin 1856. Accompagné de Rouher et des généraux Niel et Fleury, Napoléon III circula en barque pour visiter les victimes d'une grave inondation du Rhône. Doté d'une indéniable bonté naturelle, l'empereur se montra toujours fort compatissant à toutes les misères. Peinture de William Bouguereau, hôtel de ville de Tarascon.
Phot. Giraudon.

L'impératrice Eugénie au moment de son mariage. Peinture d'Édouard Dubufe, musée de Compiègne.

Phot. Dubout, archives Tallandier.

Napoléon III en uniforme militaire. Peinture d'Hippolyte Flandrin, château de Versailles.

Phot. Lauros-Giraudon.

LOUIS-NAPOLÉON avait quarante-cinq ans au moment où il devint empereur. Son physique était loin d'être prestigieux : petit, court sur jambes, le visage orné d'une grosse moustache « à l'impériale », il frappait ses interlocuteurs par ses yeux glauques, toujours à demi fermés et qui conféraient à sa physionomie un air énigmatique. Car il avait le goût du secret, gardait souvent le silence et arborait en toutes circonstances un air impassible. Ce silence lui permettait de ne pas dévoiler ses projets et de poursuivre obstinément le but qu'il s'était fixé. Celui que sa mère Hortense appelait « mon doux entêté » se croyait l'instrument de la destinée, se jugeant né pour servir à la marche du genre humain. Cet homme, sur lequel les contemporains porteront souvent des jugements sévères, était doué d'une réelle intelligence. Attiré par les spéculations intellectuelles, il était ouvert à toutes les idées modernes de cette seconde moitié du XIXe siècle. Fervent partisan de la civilisation industrielle, très préoccupé des moyens d'améliorer la condition ouvrière, il avait aussi conçu la grande idée chimérique d'une Europe nouvelle constituée d'États fédérés. Sa timidité, son impassibilité cachaient de réelles qualités de cœur, une sensibilité romanesque héritée de la reine Hortense, beaucoup de délicatesse dans ses rapports avec son entourage. « Il est impossible de ne pas l'aimer », disait de lui George Sand. Et la générosité naturelle de Napoléon III compensait tout ce

Mariage de Napoléon III et d'Eugénie de Montijo. Le 30 janvier 1853, dans l'église Notre-Dame de Paris, en présence d'une foule de prélats, de princes et d'ambassadeurs, Mgr Sibour bénit l'union de l'empereur et de la jeune Espagnole, préférée aux princesses européennes. La nouvelle impératrice fit don aux pauvres des 300 000 francs que lui avait offerts la Ville de Paris. Lithographie de Lordereau, B. N., cabinet des Estampes. *Phot. B. N.*

Napoléon III gouverne seul

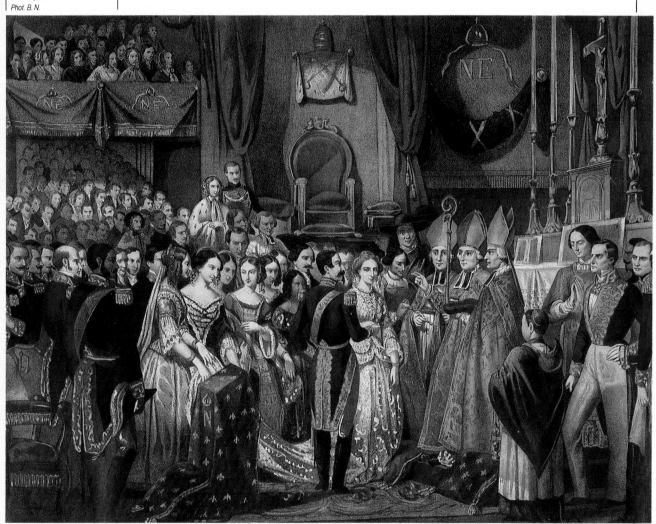

que son caractère peu expansif pouvait avoir de rebutant. Sans doute ce charme secret favorisait-il les succès amoureux de l'empereur, car il fut un homme à femmes, toujours à la recherche d'une nouvelle conquête et multipliant les liaisons extra-conjugales.

La tribu des Bonaparte. Pour gouverner, Napoléon III devait avant tout compter sur une famille souvent encombrante, dont chaque membre tâchait d'influencer ses décisions. Il y avait tout d'abord l'impéra-

trice. Sa beauté et sa dignité firent d'elle l'alliée prestigieuse dont Napoléon III avait besoin pour donner de l'éclat à son règne, mais elle n'avait pas l'intelligence suffisante pour appuyer les grands desseins de son mari. Très pieuse et conservatrice, elle orienta la politique de l'empereur vers la défense des intérêts catholiques. Après la naissance du prince impérial en 1856, elle voulut intervenir directement dans les affaires françaises et fut en particulier à l'origine de la désastreuse expédition du Mexique.

À l'opposé d'Eugénie, le cousin de l'empereur, le prince Jérôme, fils du roi Jérôme de Westphalie, surnommé « Plon-Plon » par la Cour, affichait haut et fort ses opinions républicaines. Ses interlocuteurs ne pou-

La salle à manger de la princesse Mathilde. Le Tout-Paris littéraire et artistique se pressait dans les salons de la princesse Mathilde, rue de Courcelles, où la plus grande liberté de parole et d'esprit était de mise. Celle que l'on surnommait « Notre-Dame des Arts » reçut à ses dîners les plus grands esprits de l'époque, dont elle aida la carrière. Peinture de Charles Giraud, château de Compiègne.
Phot. Lauros-Giraudon.

Le prince Napoléon Jérôme Bonaparte. « Plon-Plon », que ses opinions politiques révolutionnaires avaient fait surnommer *prince de la Montagne*, aurait voulu que son cousin terminât l'œuvre de la Révolution. Son humeur violente en fit pour Napoléon III un parent particulièrement difficile à manœuvrer. Photographie Disderi, B. N., cabinet des Estampes.
Phot. B. N.

La princesse Mathilde. D'esprit curieux et sensible, la princesse Mathilde avait été fiancée à son cousin, le futur empereur. Mais elle devait épouser un prince russe au tempérament brutal dont elle fut obligée de se séparer. Elle ne se mêla jamais à la vie politique, mais, pendant tout le second Empire et les premières décennies de la IIIe République, elle protégea les arts et les lettres. Peinture d'Édouard Dubufe, musée du château de Versailles.
Phot. Lauros-Giraudon.

Napoléon III et l'impératrice Eugénie examinent les plans du nouveau Louvre présentés par l'architecte Visconti. En mai 1852, le futur empereur avait déjà accepté les plans qui prévoyaient d'unir le palais des Tuileries à la cour Carrée du Louvre par une galerie. Ce prestigieux ensemble que Napoléon III donna comme cadre à sa cour ne dura que sept ans, car il fut détruit en partie au moment de la Commune. Peinture d'Ange Tissier, château de Versailles.
Phot. Lauros-Giraudon.

vaient oublier qu'il avait siégé à l'extrême gauche de l'Assemblée législative de 1849 et que ses convictions lui avaient valu le sobriquet de « prince de la Montagne ». Violent, manifestant brutalement son anticléricalisme, il encouragea son cousin à aider l'unité italienne.

Sa sœur, la princesse Mathilde, que, pendant un moment, Napoléon III avait pensé épouser, joua un rôle de premier plan dans la vie culturelle du second Empire. Spirituelle et cultivée, elle reçut dans son salon de la rue de Courcelles les artistes et les écrivains en vogue de l'époque et compta parmi ses amis Sainte-Beuve, Flaubert, Taine, Renan et les Goncourt.

La famille Bonaparte comptait aussi les nombreux descendants des frères et sœurs de Napoléon Ier, qui vécurent à la Cour et tentèrent d'obtenir des faveurs de leur impérial cousin. Au prince Jérôme, qui émettait des doutes sur ses origines et lui reprochait de ne rien avoir de Napoléon Ier, l'empereur répondit en soupirant : « Tu te trompes, j'ai sa famille ! » Et, parmi tous ces cousins, il y avait le comte Walewski, fils naturel de Napoléon Ier et de la comtesse polonaise Marie Walewska. Ce brillant diplomate soutenait comme l'impératrice Eugénie les intérêts conservateurs.

Il était difficile pour Napoléon III, tiraillé entre toutes ces personnalités différentes qui l'entouraient, de mener une politique cohérente et il lui arrivait de s'exclamer sous forme de boutade : « L'impératrice est légitimiste ; Napoléon Jérôme républicain ; Morny orléaniste. Je suis moi-même socialiste. Il n'y a de bonapartiste que Persigny, mais il est fou ! » Tout puissant qu'il était, l'empereur était en effet un homme seul, qui ne pouvait véritablement compter sur aucun des membres de son entourage familial.

L'Empire autoritaire.

Napoléon III entendait gouverner seul et avait tendance à considérer ses ministres comme des agents chargés d'exécuter ses décisions. Le personnel politique changea peu pendant les premières années du second Empire et l'empereur manifesta toujours une grande fidélité à ceux qui l'avaient aidé à obtenir le pouvoir. Morny et Persigny restèrent les conseillers privilégiés de Napoléon III et, autour d'eux, se constitua une équipe homogène d'hommes qui, sans avoir de passé bonapartiste, étaient sincèrement dévoués à l'empereur. Le meilleur exécutant des desseins impériaux fut Eugène Rouher, que l'on surnommait le « vice-empereur sans responsabilités ». Serviteur zélé, il occupa successivement le ministère de la Justice, puis celui de l'Agriculture, et, comme l'impératrice, était partisan de la manière forte pour faire triompher les idées conservatrices. Comme Rouher, le vice-président du Conseil d'État, Jules Baroche, se prononçait pour une politique résolument réactionnaire, appuyé en cela par les deux financiers de l'équipe ministérielle, Fould et Magne. Le plus libéral de tous ces ministres restait Adolphe Billault. Tous fort compétents, doués d'une grande puissance de travail, ces ministres jouissaient de fort peu d'autonomie : ils informaient l'empereur, ils exécutaient ses ordres. Si, lors du Conseil des ministres, Napoléon III laissait chacun de ses colla-

L'hôtel de Scribe à Paris. Paris devint tout naturellement sous le second Empire le centre de la vie élégante. Provinciaux et étrangers, attirés par l'éclat de la « vie parisienne », venaient s'amuser dans les cafés et les théâtres de la capitale et se mêler à la cohue joyeuse qui se pressait sur les boulevards. Peinture de Jules Hereau, château de Compiègne.
Phot. Lauros-Giraudon.

L'intérieur d'un salon bourgeois à Paris. Loin des tourbillons de la fête impériale, la bourgeoisie menait une vie austère et douillette. Les tentures étouffent les bruits de l'extérieur, le mobilier s'orne de franges et de capitons. Les soirées se passent calmement autour de la cheminée, et le tapage de la vie parisienne ne vient pas troubler cette existence sans heurts. Peinture de Sébastien-Charles Giraud, coll. Jacques Kugel.
Phot. Lauros-Giraudon.

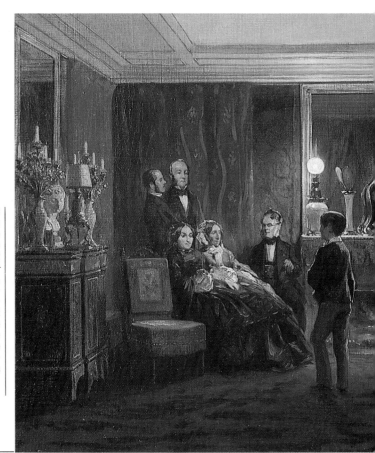

borateurs s'exprimer, sans prononcer lui-même un mot, et les écoutait attentivement en fumant cigarette sur cigarette, il se laissait rarement convaincre par leurs arguments, si ceux-ci allaient à l'encontre de la décision qu'il avait d'habitude déjà prise.

Jusqu'en 1860, la France connut un régime autoritaire. Aux pouvoirs considérables que lui reconnaissait la Constitution de 1852, Napoléon III ajouta de nombreuses restrictions aux libertés publiques. Le suffrage universel fut limité par d'habiles découpages électoraux et par l'instauration de la candidature officielle. Pour permettre aux électeurs de « faire le bon choix », le gouvernement soutenait ouvertement l'un des candidats, qui recevait l'aide de l'administration locale : seul, il avait le droit de faire placarder aux emplacements légaux les officielles affiches blanches ; seul, il avait la possibilité de mener sa propagande. Ses adversaires, qui ne bénéficiaient d'aucun de ces appuis, étaient de plus empêchés par tous les moyens possibles de mener une véritable campagne électorale.

La liberté de la presse était profondément compromise. Pour paraître, les journaux devaient avoir obtenu l'autorisation préalable et étaient contraints de faire figurer dans leurs pages les communiqués du gouvernement. Ce fut surtout le système de l'« avertissement », institué par décret en février 1852 sur l'instigation de Persigny et de Rouher, qui pesa lourdement sur la presse française : le journal qui avait reçu un avertissement du préfet était suspendu pour deux mois et, en cas de récidive, disparaissait définitivement. Un tel système de contraintes permit aux seuls journaux gouvernementaux, *le Moniteur* et *le Constitutionnel,* de paraître régulièrement. Malgré leur prudence, *le Siècle* et *la Presse,* de tendances libérales, l'orléaniste *Journal des débats* et l'ultramontain *Univers* de Louis Veuillot connurent en revanche de grandes difficultés de publication.

Dans le pays entier, une administration toute-puissante limitait les libertés fondamentales. Les fonctionnaires, qui devaient prêter serment à la Constitution et à l'empereur, pouvaient être révoqués ou rétrogradés par les ministres. La police exerçait sur tous les citoyens une surveillance rigoureuse, et de simples propos subversifs pouvaient être passibles d'emprisonnement. Les personnages les plus redoutés étaient les préfets, qui jouissaient dans leur département de pouvoirs considérables. Véritables représentants de l'empereur dans leur circonscription, ils surveillaient l'opinion publique, décidaient des élections, dirigeaient la police. Et leur rôle dans la vie mondaine n'était pas moins important, car chaque préfecture était tenue de reproduire à l'échelon local la vie brillante de la Cour.

La surveillance impériale s'exerça particulièrement sur l'enseignement. Les professeurs étaient espionnés et, sur l'ordre du ministre de l'Instruction publique, Fortoul, durent couper leur barbe, « emblème séditieux de la République, vestige de l'anarchie ». Des universitaires prestigieux, Michelet, Guizot, Quinet, furent révoqués. Les agrégations d'histoire et de philosophie, dont l'enseignement pouvait semblé tendancieux, furent supprimées.

Partisans et opposants. Le plébiscite de 1852 avait prouvé à Napoléon III qu'il enregistrait l'adhésion quasi générale des Français. Le pouvoir impérial, tout autoritaire qu'il était, semblait à beaucoup une

Sénateur en uniforme. Des uniformes chamarrés, copiés sur ceux du premier Empire, étaient destinés aux hauts fonctionnaires et aux dignitaires du régime. Image d'Épinal, B. N., cabinet des Estampes. *Phot. B. N.*

Intendant général. L'organisation des maisons civile et militaire de l'empereur et de sa famille fut confiée au colonel Fleury, qui s'inspira de la cour de Napoléon Ier. Image d'Épinal, B. N., cabinet des Estampes. *Phot. B. N.*

garantie de tranquillité intérieure et Napoléon comptait, parmi ses plus sûrs partisans, à la fois la grande bourgeoisie rassurée sur le maintien de ses intérêts et les petites gens appréciant le bien-être matériel nouveau que le second Empire apporta à beaucoup.

L'empereur profitait aussi de l'appui sans réserves qu'il trouvait dans le monde catholique. Bien qu'indifférent en matière religieuse, Napoléon III agit toujours de façon à mettre dans son camp le clergé, pensant que ce dernier était capable de lui rallier un grand nombre d'électeurs. Les congrégations religieuses furent protégées, le budget du culte augmenté. Malgré quelques réticences émises par les catholiques libéraux, les autorités religieuses accordèrent leur soutien à la politique impériale.

Dans un État aussi autoritaire, l'opposition ne pouvait s'exprimer et demeura pratiquement inexistante pendant les premières années du second Empire. Les légitimistes, dévoués à la personne du comte de Chambord, les orléanistes, qui se réclamaient du duc d'Aumale, étaient incapables, par leurs divisions, de former un front cohérent de contestation. Leur hostilité à l'Empire trouvait un exutoire dans les conversations frivoles des salons mondains où l'on aimait brocarder le pouvoir par des boutades ou des devinettes, comme celle-ci, qui fut à la mode pendant des mois : « Quelle différence y a-t-il entre une panthère, M. de La Rochejaquelein et l'empereur ? — Aucune : la panthère est tachetée par nature, M. de La Rochejaquelein est acheté par l'empereur et l'empereur est à jeter par la fenêtre. » L'Académie française restait aussi un des bastions détenus par les royalistes et on n'y élisait que des candidats défavorables à l'Empire, tels Berryer, Mgr Dupanloup ou Falloux.

L'opposition républicaine se montrait plus cohérente. Malgré l'absence des chefs de valeur, éliminés par les arrestations et les déportations, les opinions républicaines étaient encore vivaces dans de nombreux milieux, en particulier dans le monde ouvrier et chez les étudiants. Leurs moyens d'expression étaient limités par l'impitoyable répression gouvernementale. Cependant, de grandes manifestations silencieuses, organisées lors des obsèques du chansonnier Béranger ou de l'écrivain Lamennais, témoignèrent publiquement de la permanence des idéaux républicains. Des livres séditieux circulaient sous le manteau et les *Châtiments* de Victor Hugo, entrés clandestinement en France en 1853, connurent un succès considérable.

La fête impériale. Pour compenser en quelque sorte une vie politique réduite à sa plus simple expression pendant les premières années de son règne, Napoléon III donna au pays le spectacle d'une vie de cour extrêmement brillante. Sur le modèle de l'Ancien Régime, il organisa

L'impératrice Eugénie et ses dames d'honneur. Volants, dentelles et rubans, la mode féminine est à l'image des fastes de la cour impériale. Peinture de François-Xavier Winterhalter, château de Compiègne. *Phot. Lauros-Giraudon.*

Souper dans la salle des spectacles à Versailles. Pour donner à son règne un éclat inoubliable, Napoléon III multiplia les fêtes somptueuses, au prix d'énormes dépenses. Aquarelle d'Eugène Lami, château de Versailles. *Phot. Lauros-Giraudon.*

dans les différentes résidences impériales un train de vie des plus luxueux. On imposa aux courtisans une étiquette compliquée inspirée de celle des cours allemandes. La maison impériale comprenait six services employant une multitude de chambellans, d'écuyers et d'aides des cérémonies sous les ordres du grand maître du palais, du grand maître des cérémonies, du grand chambellan, du grand aumônier, du grand écuyer et du grand veneur. Une

Garde impériale, avec ses uniformes somptueux étincelant de l'or de leurs parements, rappelait celle du premier Empire et contribuait à rehausser l'éclat des manifestations officielles.

La Cour résidait pendant la plus grande partie de l'année aux Tuileries ; mais, au printemps, tout le monde se déplaçait à Saint-Cloud et, pendant l'été, gagnait Fontainebleau. En septembre, les courtisans se retrouvaient à Biarritz pour goûter l'air

marin de cette station balnéaire mise à la mode par l'impératrice. Dès l'automne, les chasses attirait la Cour dans les forêts entourant le château de Compiègne.

Tout n'était que fête dans ces résidences impériales. Des réceptions fastueuses réunissaient des foules d'invités, les hommes portant le costume officiel, habit bleu à col brodé et culotte blanche, les femmes, couvertes de bijoux, dont les robes parées de dentelles, de volants, de

ruchés ou de bouillonnés s'arrondissaient sur des crinolines de plus en plus volumineuses. L'impératrice restait la reine de ces fêtes, mais, autour d'elle, un essaim de belles femmes rivalisaient d'élégance, la jeune comtesse de Morny, la comtesse Walewska et la plus spirituelle de toutes, la princesse de Metternich, femme de l'ambassadeur d'Autriche.

Les bals costumés faisaient fureur et, selon le thème donné, tous les courtisans se transformaient en divinités mythologiques, en personnages de l'histoire ou en héros de contes de fées. Comédies, charades animées ou tableaux vivants excitaient l'esprit inventif des convives. Certains soirs, on préférait des distractions plus calmes et le couple impérial aimait s'adonner avec ses intimes à des jeux de société, portraits, lotos, petits papiers. Ce fut pendant une de ces soirées que Mérimée proposa aux invités de Napoléon III une dictée farcie de chausse-trapes : le grand vainqueur de l'épreuve fut le prince

de Metternich, qui ne fit que trois fautes, l'emportant de loin sur l'empereur dont la copie n'en comportait pas moins de quarante-trois !

Les adversaires de l'Empire mirent plus tard en accusation les « horreurs de la fête impériale ». Mais leurs critiques furent exagérées, car les fastes de la cour de Napoléon III étaient surtout de façade. Plus que des « orgies » des Tuileries ou de Compiègne, il faudrait parler de l'étalage ostentatoire et luxueux d'une des cours les plus prestigieuses qu'ait connues la France.

La guerre de Crimée. « L'Empire, c'est la paix », s'était écrié Napoléon III à Bordeaux en 1852. Cependant, très vite, l'empereur entendit mener une politique active en Europe et, dès les débuts de son règne,

se lança dans une aventure hasardeuse destinée à renforcer les intérêts français en Orient. Avec l'Angleterre, il allait affronter la Russie qui entendait étendre son influence jusqu'aux détroits du Bosphore et des Dardanelles et démembrer le puissant Empire ottoman en se faisant reconnaître un véritable protectorat sur les chrétiens de Turquie.

Le prétexte de la crise qui éclata entre la France et la Russie fut la rivalité qui opposait les deux pays à propos de la possession des Lieux saints de Bethléem et de Jérusalem, situés en terre ottomane. Deux communautés chrétiennes se disputaient la garde de ces Lieux saints, les religieux orthodoxes, protégés par la Russie, les catholiques latins, qui jouissaient de l'appui de la France. En 1852, un *firman*

Nicolas Ier de Russie. Daumier l'imagine recevant une délégation de Lapons qui viennent s'offrir pour combattre les ennemis de la foi othodoxe. Le tsar fut la cible favorite des caricaturistes. B. N., cabinet des Estampes.
Phot. Larousse.

(ou édit du Sultan) accorda certaines concessions aux religieux latins. Le tsar Nicolas Ier, qui considérait que l'Empire ottoman était un « homme malade », pensa pouvoir profiter de l'occasion pour attaquer cette puissance et voulut faire entrer l'Angleterre dans son dessein de démembrement. Devant les réticences de Londres, qui désirait garder les détroits libres du contrôle russe, le tsar envoya en mars 1853 à Constantinople un ambassadeur extraordinaire, Menchikov, chargé de revendiquer le droit de protection de la Russie sur les chrétiens orthodoxes de l'Empire ottoman. Mais cette demande fut rejetée par le Sultan.

Les événements s'enchaînèrent alors très vite et, contre toute probabilité, la querelle des Lieux saints déboucha sur un

La bataille de l'Alma. Le 20 septembre 1854, les troupes alliées se heurtèrent aux Russes sur les berges du fleuve Alma. Sans se laisser arrêter par l'artillerie russe, les zouaves du général Bosquet s'élancèrent à l'assaut des positions ennemies et, malgré un grave manque d'organisation, firent de l'affrontement une victoire qui permit aux Alliés d'avancer sur Sébastopol. B. N., cabinet des Estampes.
Phot. B. N.

Le désastre de Sinop. Le 30 novembre 1853, une escadre russe, commandée par l'amiral Nakhimov, détruisit la flotte turque dans la rade de Sinop, sur la mer Noire. Il n'était plus question pour la France et l'Angleterre de trouver une solution pacifique au conflit russo-turc. Dans un dernier effort de conciliation, Napoléon III envoya une lettre au tsar, qui lui répondit avec hauteur : « La Russie saura se montrer en 1854 ce qu'elle a été en 1812 ! » Lithographie de Félix Achille Saint-Aulaire, B. N., cabinet des Estampes.
Phot. B. N.

conflit européen. En juillet 1853, la Russie occupa les principautés danubiennes de Moldavie et de Valachie, vassales du Sultan. En prévision de ce coup de force, les Français et les Anglais avaient envoyé leur flotte à l'entrée des Dardanelles. Le 4 octobre 1853, la Turquie déclara la guerre à la Russie. Jusqu'à la fin de l'année 1853, plusieurs tentatives de conciliation intervinrent entre Saint-Pétersbourg, Londres et Paris, mais en vain. Les ministres de Napoléon III se montraient réticents à engager des hostilités dont les motivations et l'issue étaient incertaines. En revanche, l'impératrice poussait son mari à prendre part à un conflit destiné à protéger les intérêts catholiques en Orient. Après la destruction par les Russes d'une partie de la flotte turque dans la rade de Sinop, les navires français et anglais pénétrèrent en janvier 1854 dans la mer Noire. Sommé le 27 février d'évacuer les provinces danubiennes, Nicolas Ier se déroba. Le 27 mars, la France et l'Angleterre, ayant renoncé à rallier l'Autriche à leur entreprise, déclarèrent la guerre à la Russie. Un an plus tard, en janvier 1855, la Sardaigne entrera à son tour dans la guerre aux côtés des Alliés.

Le siège de Sébastopol. Ce fut une longue guerre que les Alliés menèrent sur la mer Noire, dans la presqu'île de Crimée, où les opérations se concentrèrent pendant deux ans. Débarqués à Eupatoria le 14 septembre 1854, les Français et les Anglais, sous le commandement respectif de Saint-Arnaud et de lord Raglan, prirent pour objectif la puissante forteresse de Sébastopol, arsenal des Russes. Grâce à l'action décisive et à la bravoure des zouaves français, entraînés par le général Bosquet, les Alliés remportèrent une première victoire sur les bords du petit fleuve de l'Alma. Ce fut le dernier engagement de Saint-Arnaud, qui, atteint par le choléra, usa ses dernières forces à diriger la bataille de l'Alma. Il devait mourir peu après et fut remplacé par Canrobert à la tête des forces françaises.

La lenteur des Alliés avait laissé aux Russes le temps d'organiser la défense de Sébastopol. Un officier de grande valeur, Totleben, entoura la ville d'un système efficace de défense assuré par des tranchées creusées par toute la population de Sébastopol. Pendant onze mois, les Alliés encerclèrent la forteresse dans une interminable guerre de tranchées. À deux reprises,

Le siège de Sébastopol. Le colonel russe Totleben avait élevé autour de la ville de Sébastopol un système de fortifications redoutables, qui contraignit les Alliés à mener une longue guerre de tranchées à partir d'octobre 1854. Aquarelle de Simpson, bibliothèque du musée de l'Armée, Paris.
Phot. Larousse.

La bataille d'Inkerman. Le 5 novembre 1854, pour briser l'encerclement de Sébastopol, les Russes attaquèrent les Alliés sur le plateau d'Inkerman. Le combat fut tellement sauvage que l'endroit en garda le triste nom de l'Abattoir. À la fin de la journée, alors qu'un nombre considérable de morts restaient sur le terrain, les Russes furent obligés de se replier à l'intérieur de la place forte. Peinture de Victor Adam, musée de l'Armée, Paris.
Phot. L. L.

La bataille de Balaklava.
L'armée britannique avait pris pour base la ville de Balaklava, au sud de Sébastopol. Le 25 octobre 1854, la brigade légère de lord Cardigan s'élança contre les cosaques qui voulaient s'emparer des canons anglais et les repoussa au prix de pertes énormes. Peinture de R. de Moraine, musée royal de l'Armée, Bruxelles.
Phot. Patrick Lorette.

ils durent repousser les attaques des Russes, qui les prirent à revers pour briser l'encerclement de Sébastopol. Le 25 octobre 1854, grâce au sacrifice héroïque de la brigade légère de lord Cardigan chargeant contre les cosaques, les ennemis furent repoussés à Balaklava. Le 5 novembre, les Français l'emportèrent difficilement sur les assaillants dans la sanglante bataille d'Inkerman. La contre-attaque des zouaves de Bosquet avait décidé du succès.

L'hiver se passa dans des conditions particulièrement pénibles pour les assiégeants. Les défauts de préparation de l'expédition de Crimée s'avérèrent flagrants pour l'armée franco-anglaise, non équipée pour affronter les rigueurs d'un hiver particulièrement précoce. Dans leurs uniformes trop légers, les soldats grelottaient ; ils manquaient des aliments indispensables et étaient décimés par de graves épidémies de choléra et de typhus.

Lord Raglan, Omar Pacha et Pélissier en 1855. Lord Raglan, qui commandait le corps expéditionnaire anglais, avait perdu un bras à Waterloo et mourut du choléra devant Sébastopol. Pélissier, qui avait remplacé Canrobert en mai 1855 à la tête des troupes françaises, prit l'initiative de précipiter les opérations pour hâter la fin du siège. Musée de l'Armée, Paris.
Phot. Copyright musée de l'Armée, Paris.

Devant Sébastopol. Avec l'hiver, la neige et la glace, le siège devint particulièrement dur pour les Français, qui n'étaient pas équipés pour affronter le froid et il fallait parcourir une distance de 4 000 kilomètres pour acheminer de France vers Sébastopol renforts, vivres et munitions. Lithographie de F. Sorrieu, B. N., cabinet des Estampes.
Phot. B. N.

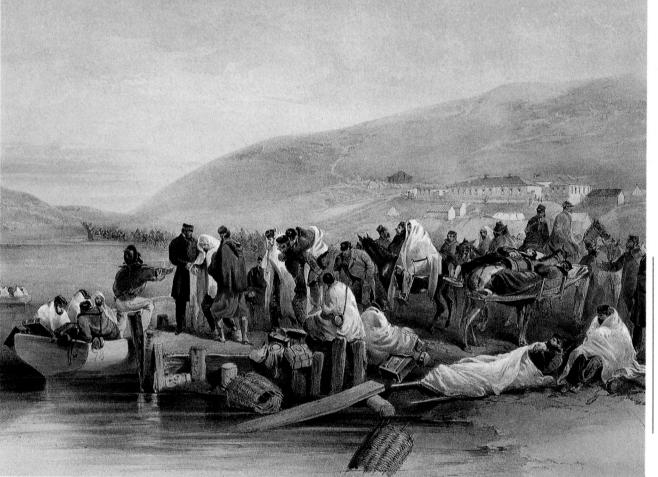

Embarquement des malades. Outre les gelures graves qui touchèrent près de 2 000 hommes, des épidémies de scorbut, de choléra, de typhus s'abattirent sur les Alliés et il fallut évacuer 12 000 Français et encore plus d'Anglais. Les chevaux eux-mêmes n'étaient pas épargnés par les maladies et il en mourut des centaines. Aquarelle de Simpson, bibliothèque du musée de l'Armée, Paris.
Phot. Larousse.

Le débarquement britannique à Kamish Bournon. Les rapports entre les généraux anglais et français, encore influencés par l'antagonisme de l'époque napoléonienne, ne furent pas toujours faciles pendant la guerre de Crimée, ce qui ne contribua pas à assurer la cohésion des opérations. Aquarelle de Simpson. Bibliothèque du musée de l'Armée, Paris.
Phot. Larousse.

36,   1853-1860 L'EMPIRE AUTORITAIRE.

À Paris, l'optimisme était de rigueur et l'officiel journal *le Moniteur* évoquait le plus sérieusement du monde « la douceur de la température de la Crimée, comparable au climat italien ». Mais l'opinion publique, peu dupe, s'énervait. On arrêta dans un café de la capitale un consommateur impatient de se faire servir qui avait maugréé : « C'est ici comme à Sébastopol, on ne peut rien prendre ! »

Pour hâter le dénouement du siège de Sébastopol, de nouveaux sacrifices furent consentis par la France, qui, à l'aide d'emprunts, parvint à envoyer vers la Crimée des renforts de munitions. Napoléon III songea un moment à se rendre sur le front pour remonter le moral de ses troupes. Il y renonça devant les objections de ses ministres inquiets de voir s'éloigner l'empereur. Des tentatives de conciliation avec la Russie échouèrent. Aussi, en avril 1855, remplaça-t-on Canrobert, dont les hésitations étaient responsables de la stagnation des opérations militaires, par le général Pélissier, un homme énergique qui s'était illustré en Algérie. Grâce à ses initiatives hardies, allant au-delà de ce qu'avait conseillé Napoléon III, le Mamelon vert fut enlevé par les Français le 7 juin. Les Russes, une dernière fois, tentèrent de forcer le cercle des assaillants, mais furent écrasés le 16 août au pont de Traktir. La phase ultime du siège de Sébastopol commençait alors : après trois jours d'un bombardement intensif, Mac-Mahon parvint à s'emparer de la tour Malakoff le 8 septembre. C'était la fin de ce siège interminable et, le 10 septembre, les Russes évacuèrent Sébastopol. Ainsi se terminait la phase la plus sanglante de la guerre de Crimée, qui avait coûté aux Alliés plus de 120 000 hommes, dont 95 000 Français, la plupart morts de froid ou de maladie.

Le traité de Paris. La guerre était finie, mais le tsar Alexandre II, qui avait succédé à Nicolas Ier, se refusa tout d'abord à traiter. De leur côté, les Anglais, qui désiraient détruire le port russe de Kronchtadt, hésitaient. Cependant, l'intervention de la Prusse et de l'Autriche, concrétisée par le protocole de Vienne signé le 1er février 1856, permit l'ouverture du congrès de Paris le 26 février, regroupant les représentants des puissances européennes et présidé par le comte Walewski. Le traité,

La prise de Malakoff. En s'emparant de la tour Malakoff, Mac-Mahon remportait une bataille décisive et, en plantant le drapeau français sur la tour, le général aurait prononcé la phrase fameuse : « J'y suis, j'y reste. » Peinture d'Yvon, château de Versailles.
Phot. Réunion des musées nationaux.

La fin du siège de Sébastopol. Les 9 et 10 septembre 1855, après avoir incendié la ville, les Russes abandonnèrent Sébastopol et se retirèrent vers le nord. La prise de Sébastopol, après 350 jours de siège, mettait fin à la guerre de Crimée, et les Alliés prenaient possession des décombres du grand arsenal russe. Lithographie, musée de l'Armée, Paris.
Phot. L. L.

Le retour de Crimée.
L'opinion publique française s'était impatientée devant les lenteurs du siège de Sébastopol. Aussi apprit-elle avec allégresse l'annonce de la victoire de Malakoff. Les Parisiens réservèrent un accueil chaleureux aux troupes revenant de Crimée, qui défilèrent dans la capitale sous les vivats de la foule. Peinture d'E. Massé, musée de l'Armée, Paris.
Phot. Copyright musée de l'Armée, Paris.

signé le 30 mars, accordait leur autonomie aux principautés danubiennes, Moldavie, Valachie et Serbie, garantissait l'intégrité de l'Empire ottoman ; en contrepartie, les chrétiens de Turquie obtenaient l'égalité des droits avec les musulmans. Enfin, la mer Noire fut neutralisée et interdite aux flottes de guerre russe et turque.

Le congrès de Paris, s'il marquait un net recul pour la Russie, représentait un succès éclatant pour Napoléon III, qui se posait comme le plus puissant souverain de l'Europe. L'empereur avait ainsi effacé le souvenir de l'humiliation qu'avait représentée pour la France le congrès de Vienne de 1815. L'influence française en sortait renforcée en Orient et ne cessa de s'étendre pendant les années qui suivirent. Grâce à

Le congrès de Paris.
Dans le salon du ministère des Affaires étrangères, les principaux diplomates européens sont réunis. On reconnaît assis au pemier plan, de gauche à droite, les plénipotentiaires des puissances engagées dans la guerre de Crimée, le comte Orlof (Russie), le comte Walewski (France), lord Clarendon (Grande-Bretagne) et Ali Pacha (Turquie). À l'extrême gauche, le comte Cavour, qui avait obtenu que son pays, le Piémont-Sardaigne, fût représenté au congrès de Paris et qui put ainsi poser officiellement devant les puissances européennes la question italienne. La France n'avait voulu retirer aucun profit territorial du traité, signé le 30 mars 1856, mais, en imposant Paris pour centre des débats qui réglaient le sort de l'Europe, Napoléon III effaçait l'humiliation du traité de Vienne. Peinture d'E. Dubufe, château de Versailles.
Phot. Lauros-Giraudon.

appui de Napoléon III, l'union personnelle
des principautés de Valachie et de Moldavie fut réalisée dès 1859 : ce fut là
l'embryon du futur royaume de Roumanie.
Le prestige de la France permit aussi qu'en
Égypte Ferdinand de Lesseps obtînt en
1856 l'autorisation de commencer les travaux de percement de l'isthme de Suez.

Au moment où les congressistes mettaient au point les différentes conclusions
du traité de Paris, la dynastie impériale
était enfin assurée par la naissance tant
désirée du prince impérial le 16 mars. Les
fêtes somptueuses organisées pour le bap-
tême de l'enfant, dont le parrain était le
pape, célébrèrent le triomphe spectaculaire de Napoléon III, dont le bonheur et le
pouvoir semblaient alors sans partage.

**Naissance du prince
impérial.** Le petit prince tant
attendu naquit pendant les
délibérations du congrès de
Paris. Sa naissance fut suivie de fêtes populaires et de
réjouissances dans toute la
France. Un seul homme ne
partageait pas la liesse générale, « Plon-Plon », qui voyait,
avec l'arrivée d'un héritier
mâle, la couronne impériale
lui échapper. Lithographie,
musée Carnavalet.
Phot. Jean-Loup Charmet.

Page suivante :
**Napoléon III, l'impératrice
et le prince impérial
entourés de gens du peu-
ple.** Avec la naissance du
prince impérial, la dynastie
semblait assurée et on multiplia les images populaires
de la famille impériale au
milieu de paysans en cos-
tumes régionaux, d'ouvriers
et de religieux. À l'horizon,
se profilent l'image triomphale de Napoléon Ier et la
frêle silhouette de l'Aiglon.
Gravure de Léopold Flaming,
B. N., cabinet des Es-
tampes.
Phot. B. N.

LE CONGRES DE PARIS avait été un succès personnel pour Napoléon III, qui avait été reconnu par tous comme un souverain puissant, capable de servir d'arbitre dans les conflits européens. Pendant ce congrès, pour la première fois dans une assemblée regroupant les grandes puissances, avait été posée, à la demande de Cavour, représentant le Piémont, la question de l'unité italienne. Les mouvements libéraux et nationaux qui avaient éclaté en Italie en 1848 et qui avaient pour but la réunion des différents États de la Péninsule avaient échoué, mais l'idée nationale n'était pas morte et il revenait au Piémont-Sardaigne, le seul État à être sorti indemne de la révolution de 1848, de maintenir vivant le projet de l'unité italienne. Tous les efforts du président du Conseil piémontais, Cavour, appuyé par le roi Victor-Emmanuel II, tendirent à la réalisation de ce grand projet. En quelques années, Cavour réussit à faire du royaume de Piémont un État fort, moderne, bien équipé et en plein essor économique. Mais, pour arriver à mener à bien son œuvre de réunification des petites principautés italiennes et les affranchir de la domination autrichienne, Cavour savait qu'il avait besoin d'une aide extérieure. La formule chère aux mouvements révolutionnaires de 1848, *Italia fara da se* (« L'Italie se fera seule »), avait vécu, et, tout naturellement, pour s'opposer à l'Autriche, Cavour rechercha l'appui de la France, qu'il allait engager dans l'aventure italienne.

De son côté, Napoléon III profitait du prestige que lui avait conféré le congrès de Paris pour s'assurer de l'adhésion du pays. C'est à cette fin que, cinq ans après le plébiscite de 1852, il se décida à tenter une grande consultation nationale. Le 29 avril 1857, il prononça la dissolution du Corps législatif, avançant ainsi d'un an le renouvellement de cette Assemblée. La campagne électorale, orchestrée par les préfets, ne laissa à l'opposition aucune chance de

1859 Magenta et Solferino

s'exprimer et les résultats du vote confirmèrent les espérances du gouvernement, puisque les candidats officiels obtinrent 5 500 000 voix. Cependant, pour la première fois, des républicains obtinrent des sièges. Ces derniers, jusque-là, ne s'étaient jamais présentés aux élections, car ils refusaient la perspective d'avoir à prêter le serment à l'empereur exigé des membres du Corps législatif. Lors du scrutin de 1857, à la suite d'une campagne de presse menée par Havin, directeur du *Siècle,* quelques jeunes gens acceptèrent de se présenter comme candidats. Et cinq d'entre eux, malgré les obstacles rencontrés pendant leur campagne électorale, parvinrent à se faire élire, Émile Ollivier, Jules Favre, Ernest Picard, Darimon et Hénon. L'arrivée du groupe des cinq dans le Corps législatif provoqua la stupeur des députés, propriétaires, riches industriels ou notables provinciaux. Et, du côté du gouvernement, la colère se mêla à la consternation. On parla même de supprimer le suffrage universel, « déplorable principe plein de danger pour l'avenir ».

L'élection des cinq députés républicains, même si elle n'eut guère de conséquences dans le déroulement des séances du Corps législatif, constituait cependant un premier avertissement. Le pouvoir en tint compte pour excercer un contrôle encore plus sévère sur les libertés. L'attentat d'Orsini allait lui donner le prétexte cherché pour intensifier ses mesures répressives.

L'hippodrome de Longchamp. Les courses de chevaux attiraient un public fort élégant qui venait à Longchamp pour faire étalage de ses toilettes. Parmi les personnages, on remarque, à droite, la populaire marchande d'« oublies » ou de « plaisirs », qui, contre quelques sous, offrait ses gaufrettes légères. Lithographie d'Eugène Guérard, musée Carnavalet.
Phot. Lauros-Giraudon.

NAPOLEON III hésitait sur la conduite à tenir à l'égard du Piémont. Certes, il se rappelait que, dans sa jeunesse, il avait été carbonaro et, depuis toujours, il nourrissait de vives sympathies à l'égard de l'Italie, sa « seconde patrie », comme il aimait à le déclarer. Le soutien accordé au Piémont ne pouvait manquer de lui rapporter un prestige accru. Lors de la guerre de Crimée, l'empereur avait apprécié le geste de Cavour, qui, pour forcer la sympathie du gouvernement français, avait envoyé des troupes sardes combattre devant Sébastopol, et il avait tenu à faire reconnaître par le congrès de Paris le Piémont-Sardaigne à l'égal des autres puissances étrangères. Cependant, Napoléon III hésitait à lancer la France dans une autre aventure militaire, alors que la guerre de Crimée, qui avait coûté tant de vies humaines, venait à peine de s'achever.

Paradoxalement, ce furent les terroristes italiens qui allaient peser sur la décision de

L'attentat d'Orsini

La France libératrice. Armée d'un glaive menaçant, la France s'élance sur l'Autriche qui s'apprête à attaquer la maison de Savoie. Le Piémont était le seul État d'Italie à être suffisamment fort pour s'en prendre à l'Autriche. Napoléon III, dès son arrivée au pouvoir, avait promis de soutenir de toutes ses forces les revendications nationales italiennes. De son côté, Cavour avait compris que le programme Italia fara da se était irréalisable et mit tout en œuvre pour convaincre le souverain français de s'engager dans la libération de l'Italie. Allégorie gravée de J. Chifflart, B. N., cabinet des Estampes. *Phot. B.N.*

empereur. Une première fois, le 28 avril 1855, le couple impérial échappa à un attentat : sur les Champs-Élysées, l'Italien Giovanni Pianori tira à bout portant sur l'empereur en le manquant de peu. Malgré l'émotion que souleva sur le moment l'agression commise par cet ancien compagnon de Garibaldi, l'affaire n'eut aucune suite. Mais, trois ans plus tard, l'attentat d'Orsini allait faire entrer la France dans la guerre de l'unité italienne.

L'attentat d'Orsini. Le 14 janvier 1858, l'empereur et l'impératrice devaient se rendre à l'Opéra pour assister à une représentation exceptionnelle. Au moment où le cortège impérial arrivait au milieu d'une foule considérable rue Le Peletier, où se trouvait alors l'Opéra, trois bombes lancées sous les pas des chevaux de l'attelage impérial explosèrent simultanément. Tous les becs de gaz, soufflés par la déflagration, s'éteignirent sur-le-champ et, dans la rue plongée dans l'obscurité, ce fut une panique indescriptible. Au milieu des débris de toute sorte, des cadavres de chevaux, on releva près de 150 blessés, plus ou moins gravement atteints, et huit morts. Par miracle, le couple impérial sortait indemne de l'attentat et ne souffrait que de quelques égratignures. Avec beaucoup de sang-froid et de dignité, l'empe-

reur, très pâle, et l'impératrice, dans sa robe blanche ensanglantée, pénétrèrent dans la salle de l'opéra, où ils furent longuement ovationnés par tous les spectateurs. Et, lorsque, après la représentation, Napoléon III et Eugénie rejoignirent les Tuileries, une véritable marée humaine rendit hommage par ses acclamations au courage des souverains.

La police ne mit pas longtemps à découvrir les auteurs de cet attentat. Dans la nuit même, le chef des conspirateurs, Felice Orsini, et ses complices, Pieri, Rudio et

L'attentat d'Orsini, le 14 janvier 1858. En tentant d'assassiner l'empereur, à qui il reprochait de ne rien faire pour la cause italienne, Orsini permit au pouvoir impérial de promulguer la loi de sûreté générale dirigée contre les républicains, qui, à partir de 1857, avaient recommencé à enregistrer des succès aux élections. Très rapidement cependant, cette loi fut abandonnée dans la pratique. Gravure allemande, B.N., cabinet des Estampes.
Phot. B.N.

Felice Orsini. Ce fils d'un carbonaro consacra son existence à fomenter des complots pour délivrer son pays de la domination autrichienne. Dans les semaines qui précédèrent son exécution, il devint pour les Français le symbole de l'idéalisme patriotique et contribua à rendre populaire la cause italienne. Peinture anonyme, musée du Risorgimento, Milan.
Phot. Lavaud.

Gomez, étaient arrêtés. À l'encontre de ce que l'on avait cru dans les premiers instants qui avaient suivi l'attentat, il ne s'agissait pas d'opposants républicains, mais de révolutionnaires italiens, déçus par l'attitude hésitante de Napoléon III à l'égard de l'Italie, et qui avaient pensé attirer l'attention du monde sur la question italienne en assassinant l'empereur.

La crise. Le geste d'Orsini avait suscité en France une émotion profonde et le danger auquel avait échappé l'empereur avait fait ressortir les faiblesses du régime institué en France en 1852. Le prince impérial n'avait que deux ans en 1858 et la mort de Napoléon III aurait signifié la disparition de l'Empire. Aussi, dès le 1er février, un décret instituait-il un Conseil privé, regroupant l'impératrice, Morny, Baroche, le prince Jérôme et quelques personna-

Napoléon III et le Prince impérial. Le petit « Loulou » était adoré de son père, qu'il accompagnait partout. Mais son jeune âge contraignit l'empereur à instituer, après l'attentat d'Orsini, un Conseil de régence. Peinture attribuée à Yvon, musée de Compiègne.
Phot. Dubout, archives Tallandier.

La comtesse de Castiglione en « dame de cœur » au cours d'un bal costumé aux Tuileries. Cavour ne pouvait trouver un meilleur agent pour défendre la cause italienne auprès de Napoléon III que la splendide Virginia de Castiglione, dont la beauté stupéfia la cour des Tuileries. Photo de Pierson aquarellée et gouachée, coll. Sirot.
Phot. Tallandier.

lités. Ce Conseil privé pouvait se transformer en Conseil de régence en cas de disparition de l'empereur.

L'attentat d'Orsini servit de prétexte pour mener une campagne de répression contre les républicains, alors qu'il avait été démontré que l'Italien n'avait eu aucun rapport avec les milieux d'opposants francais. Le 7 février, l'énergique général Espinasse fut nommé ministre de l'Intérieur et donna immédiatement l'ordre aux préfets de dresser des listes de suspects et de procéder à des arrestations préventives. Cinq maréchaux recurent la mission de superviser l'action des préfets et, par mesure de précaution, on interdit la parution de plusieurs journaux libéraux.

Allant encore plus loin, le général Espinasse inspira une loi de sûreté générale permettant d'arrêter et de déporter sans jugement quiconque avait fait l'objet de condamnations au moment des événements de juin 1848 ou de décembre 1851. En vertu de cette « loi des suspects », on inquiéta plus de 2 000 Français, dont près de 400 furent déportés en Algérie.

Cet état de crise, résultant de l'attentat d'Orsini, fut de brève durée. Dès la fin du mois de mars, le pouvoir était rassuré et la loi de sûreté générale ne fut plus appliquée qu'exceptionnellement. En juin, le général Espinasse abandonnait le ministère de l'Intérieur et était remplacé par le juriste Delangle.

Napoléon III s'engage pour l'Italie. La seconde conséquence de l'attentat d'Orsini fut de décider l'empereur à engager la France aux côtés du Piémont pour réaliser l'unité italienne. Au cours du procès d'Orsini, l'avocat de ce dernier, Jules Favre, lut une lettre que l'accusé avait écrite à l'empereur pour lui demander de rendre l'indépendance à son pays. Avant d'être exécuté, il adressa une nouvelle lettre à Napoléon III le suppliant de ne pas repousser « le vœu suprême d'un patriote sur les marches de l'échafaud ». Très troublé par cette supplique, l'empereur la fit publier dans *le Moniteur* et dans un journal

Le comte Walewski. Malgré sa ressemblance frappante avec son père Napoléon Ier, le comte Walewski ne se prévalut jamais de sa glorieuse filiation pour faire pression sur Napoléon III. Cependant, il supporta fort mal que l'empereur s'engageât dans l'affaire italienne sans juger bon de l'avertir. Détail d'un tableau de Gérôme, musée de Versailles.
Phot. Tallandier.

Cavour. Celui que les Italiens surnommaient « Papa Camillo » consacra sa vie à réaliser l'unité de l'Italie. Il parvint à convaincre Napoléon III de s'engager aux côtés du Piémont dans la guerre de libération du sol italien. Peinture de Francesco Hayez, musée Brera, Milan.
Phot. Giraudon.

du Piémont, indiquant par là qu'il avait enfin pris la décision d'appuyer les visées du roi de Piémont-Sardaigne.

À son habitude, Napoléon III avait gardé le secret au moment de prendre cette décision lourde de conséquences, mais, depuis des mois, il était soumis aux pressions contradictoires de son entourage et de l'opinion publique. L'impératrice, Walewski, Morny se montraient hostiles à une intervention française en Italie, dans la mesure où la formation de l'unité italienne mettait en danger la papauté et les États de l'Église. Seuls de la famille impériale, le prince Jérôme et la princesse Mathilde affichaient ouvertement leurs sympathies pour la cause italienne. Une ambassadrice de charme contribua à sa manière à convaincre l'empereur d'apporter son aide au Piémont, la « bellissima contessa » de Castiglione, que Cavour, connaissant le faible de Napoléon III pour les jolies femmes, avait déléguée auprès de lui en 1857 et qui devint une des reines de beauté de Paris.

Pendant plusieurs mois, le souverain s'interrogea, sans tenir personne au courant de ses réflexions. Au mois de juillet 1858, il se rendit à Plombières pour prendre les eaux et, à l'insu de comte Walewski, ministre des Affaires étrangères, fit demander à Cavour de le rejoindre en secret dans la station thermale. Le 21 juillet, au cours d'une entrevue qui dura sept heures, les deux hommes allaient échafauder en tête à tête un plan destiné à libérer l'Italie et à assurer la victoire du Piémont sur l'Autriche. Ils conçurent le projet de la constitution d'une Italie fédérée en quatre États, et, en échange de son aide, la France recevrait Nice et la Savoie. Enfin, on décida à Plombières le mariage du prince Jérôme et de Clotilde, fille de Victor-Emmanuel II.

La déclaration de guerre. Gardant le secret sur le contenu de l'entrevue qu'il avait eue avec Cavour, Napoléon III employa le reste de l'année 1858 à prépa-

rer les souverains européens à l'idée d'une intervention en Italie. Si le tsar Alexandre II s'engagea à garder la neutralité en cas de conflit, Victoria manifesta ouvertement son désaccord en apprenant les intentions de l'empereur français.

Le 26 janvier 1859, le prince Jérôme signait à Turin avec le roi Victor-Emmanuel le traité prévoyant une alliance militaire entre la France et le Piémont contre l'Autriche. Il n'était plus question de la confédération des États italiens prévue à Plombières, mais il était entendu de constituer un grand royaume de l'Italie du Nord, comprenant 11 millions d'habitants.

En France, l'opinion publique fut violemment émue de ces accords annonciateurs de conflits. Les catholiques, l'impératrice en tête, s'élevèrent contre cette politique menaçante pour la papauté. La bourgeoisie d'affaires s'inquiétait des menaces qui pesaient sur la paix, la Bourse baissa, des faillites se déclarèrent. Un opuscule, *Napoléon III et l'Italie,* paru sous le nom

Départ des troupes françaises pour l'armée d'Italie. Le 24 avril 1859, les premiers régiments français s'embarquèrent à la gare de Lyon pour gagner l'Italie. Malgré la désapprobation manifestée par les conservateurs et les catholiques à l'égard de l'engagement français au Piémont, Napoléon III déclarait la guerre à l'Autriche pour rendre l'Italie « libre jusqu'à l'Adriatique ». Chromolithographie coloriée de Raunhein, B.N., cabinet des Estampes.
Phot. B.N.

d'un conseiller d'État, Louis La Gueronnière, justifia la formation de l'unité italienne. Ce pamphlet, inspiré en fait par
l'empereur lui-même, contribua à bouleverser les Français. Devant ce front du refus,
Napoléon III, qui ne pouvait paradoxalement compter en la matière que sur
l'approbation des républicains, connut d'ul-
times hésitations. Un moment, se rappe-
lant le prestige que lui avait valu le congrès
de Paris, il espéra pouvoir régler la question italienne diplomatiquement par une
conférence regroupant les grandes puissances européennes. Mais les événements
allaient en décider autrement. Sûr de bénéficier de l'appui de la France, le Piémont
avait multiplié les provocations à l'égard de
l'Autriche. Le 23 avril, le chancelier autrichien Buol envoyait à Victor-Emmanuel un
ultimatum le sommant de désarmer dans
les trois jours. Devant le refus du roi du
Piémont, les troupes autrichiennes fran-
chirent le Tessin. C'était la guerre et, en
vertu des clauses du traité de Turin, la

**Départ de Napoléon III pour la campagne d'Ita-
lie.** Pendant tout le trajet des Tuileries à la gare de Lyon, Napoléon III, accompagné de l'impératrice, fut acclamé par les Parisiens. La guerre d'Italie fut la seule expédition française en terre étrangère à laquelle l'empereur participa en personne. Malgré ses faibles connaissances militaires, il prit le commandement de l'armée française. B.N., cabinet des Estampes.
Phot. B.N.

Entrée des troupes françaises à Gênes le 30 avril 1859. Les premiers Français arrivés à Gênes furent reçus avec enthousiasme par les populations accourues de toute l'Italie pour assister à leur débarquement. Ensuite les Français utilisèrent le chemin de fer pour gagner le nord du pays, alors que l'armée autrichienne les attendait près de Plaisance, au sud de Milan. B.N., cabinet des Estampes.
Phot. B.N.

France se devait d'apporter son aide à son allié le Piémont.

Le 24 avril, les régiments de Paris gagnaient sous les vivats de la foule la gare de Lyon, où ils allaient s'embarquer pour l'Italie. Le 3 mai, le gouvernement français déclarait la guerre à l'Autriche et, le 10 mai, après avoir laissé la régence à l'impératrice, Napoléon III lui-même quittait Paris pour prendre le commandement de l'armée envoyée en Italie. Les acclamations du peuple parisien massé sur le parcours de son cortège le rassurèrent sur l'accueil que la France allait réserver à sa campagne d'Italie.

Magenta et Solferino. Comme pour la guerre de Crimée, les troupes françaises se rendaient en Italie sans être préparées à affronter une campagne militaire. Par suite du silence gardé pendant des mois par Napoléon III sur ses projets, l'état-major avait été pris de court par la déclaration de guerre. Cependant, l'armée française allait bénéficier des maladresses du général autrichien Giulay. Persuadé que

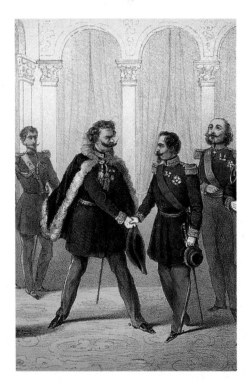

Bataille de Montebello.
Le 20 mai 1859, le général Forey prit aux Autrichiens le village de Montebello, dans la région de Plaisance, ce qui confirma les prévisions du général autrichien Giulay, persuadé que les troupes françaises arriveraient par le sud. Peinture de Philippoteaux, musée de l'Armée, Paris.
Phot. Larousse.

Entrevue de Napoléon III et de Victor-Emmanuel II.
Le 14 mai, le roi de Piémont-Sardaigne accueillit l'empereur français à Alexandrie. Lithographie, B.N., cabinet des Estampes.
Phot. B.N.

Mac-Mahon à Magenta.
Pendant toute la journée du 4 juin 1859, Napoléon III attendit la venue de Mac-Mahon et la bataille de Magenta aurait été un échec pour l'armée française si le général, arrivé à la nuit tombante, n'avait rétabli la situation en lançant ses zouaves à l'assaut de Magenta. Improvisation, défaillances du commandement, mais bravoure des hommes, ce furent les caractéristiques de la plupart des combats du second Empire. Peinture d'Horace Vernet, château de Versailles.
Phot. Dubout, archives Tallandier.

les Français l'attaqueraient par le sud, ce dernier concentra ses forces dans la région de Plaisance et permit ainsi la jonction des Français et des Piémontais dans le nord. Le 18 mai, les troupes françaises venues par le Mont-Cenis sous la conduite des généraux Niel et Canrobert et celles débarquées à Gênes avec Napoléon III se retrouvèrent à Alexandrie, puis se dirigèrent en chemin de fer en direction de Novare. Pendant ce temps, au sud, à Montebello, puis à Palestro, des corps d'armée français et piémontais mirent en déroute à deux reprises les Autrichiens.

Le 1er juin, Français et Piémontais se rejoignirent dans le nord. Giulay, qui avait enfin compris l'erreur de sa tactique, mena ses troupes à marches forcées vers Milan

et, le 4 juin, s'immobilisa face aux forces franco-sardes près du village de Magenta. Le corps de troupe commandé par Mac-Mahon, venant de Turbigo où il avait remporté une victoire, n'était pas encore parvenu à Magenta et, pendant toute la journée, la situation fut critique pour les Français, abandonnés par leurs alliés piémontais et enfoncés par les Autrichiens beaucoup plus nombreux qu'eux. À la fin de l'après-midi, Mac-Mahon apparut enfin et entraîna ses hommes dans une chevauchée audacieuse qui renversa la situation. Les Autrichiens se replièrent en désordre. Le lendemain, sur le champ de bataille, Mac-Mahon était nommé maréchal par l'empereur et recevait le titre de duc de Magenta. Juste récompense pour celui,

Après la bataille de Magenta. Au soir de l'affrontement, Napoléon III télégraphia à l'impératrice : « Grande victoire, mais chèrement achetée. » Les morts du côté français se comptaient par milliers. Les troupes sardes n'avaient pas apporté l'aide escomptée et étaient restées singulièrement passives pendant tout le combat. L'armée française était trop épuisée pour profiter de l'avantage que lui donnait sa victoire. Peinture de Fattori Giovanni, galerie d'Art moderne, Florence.
Phot. Titus.

Bataille de Magenta. Le village de Magenta était défendu par des chasseurs tyroliens embusqués dans les maisons. Les zouaves et les grenadiers de la Garde impériale, après s'être emparés du pont de Magenta, s'élancèrent courageusement dans le village, malgré la fusillade nourrie des ennemis. En moins d'une heure et demie, les maisons étaient reprises une à une et l'armée autrichienne mise en déroute. Peinture d'Eugène Charpentier, musée de l'Armée, Paris.
Phot. Larousse.

qui, par son action déterminante, avait contribué à transformer en victoire une bataille qui avait prouvé le manque de préparation des armées françaises.

Le 8 juin, Napoléon III et Victor-Emmanuel faisaient, à la tête de leurs troupes, une entrée triomphale à Milan. Pendant ce temps, les Autrichiens préparaient la riposte et se regroupaient sous le commandement de l'empereur François-Joseph. De façon inattendue, l'armée autrichienne, forte de 160 000 hommes, et les Franco-Sardes, au nombre de 138 000, se rencontrèrent le 24 juin près du village de Solferino, au sud du lac de Garde. Sur un front de 16 kilomètres, la bataille s'engagea de façon confuse. Seule l'attaque impétueuse de la Garde impériale, qui s'empara des

Bataille de Solferino. Livré sans aucune préparation, le 24 juin 1859, le combat autour du village fortifié de Solferino fut longtemps indécis. Une fois encore, les zouaves jouèrent un rôle décisif en enlevant les positions fortifiées. Un violent orage survint fort opportunément pour hâter la retraite des Autrichiens. Le soir même, Napoléon III télégraphiait à Paris : « Grande bataille et grande victoire. » Peinture d'A.L. Janet-Lange, château de Versailles.
Phot. Réunion des musées nationaux.

Napoléon III visite les blessés. Le soir de la bataille de Solferino, l'empereur visita le champ de bataille et les postes de secours où l'on s'efforçait de soigner les victimes de l'affrontement. La vue du sang, les cris des blessés émurent profondément le tempérament sensible de l'empereur, et les scènes atroces auxquelles il assista contribuèrent à le convaincre qu'il fallait terminer au plus tôt cette guerre meurtrière, dont l'issue était douteuse. Peinture de Jules Rigo, musée du Val-de-Grâce, Paris.
Phot. Tallandier.

hauteurs de Solferino, donna l'avantage aux Français. Comme à Magenta, la victoire des Français et des Piémontais était en définitive due au hasard.

La bataille de Solferino fut particulièrement meurtrière : plus de 30 000 morts de part et d'autre et des milliers de blessés, qui, faute de moyens, ne pouvaient être soignés, malgré le dévouement des religieuses. Un jeune Suisse, Henri Dunant, qui, au soir du combat, parcourut le champ de bataille, fut bouleversé par l'effroyable spectacle qui s'offrait à ses yeux et conçut le dessein d'un grand service humanitaire destiné à soigner les blessés de guerre sans distinction de nationalité. La Croix-Rouge naquit de la boucherie de Solferino.

L'armistice de Villafranca. Alors que les victoires de Magenta et de Solferino semblaient bien augurer des suites de la guerre contre l'Autriche, subitement on apprit que l'armistice était signé. Au lendemain de la bataille de Solferino, Napoléon III, encore sous le choc du carnage de cet affrontement sanglant, envoya son aide de camp Fleury à l'empereur François-Joseph pour lui proposer l'arrêt des hostilités. Pourquoi ce brusque revirement ? L'empereur français s'était rendu compte que ses troupes étaient insuffisamment

équipées pour se heurter de nouveau aux Autrichiens et un autre combat risquait de leur être fatal. Napoléon III s'inquiétait aussi de constater qu'en Italie centrale de nombreux mouvements révolutionnaires s'étaient déclarés, les États pontificaux eux-mêmes étaient menacés, à la grande indignation de l'impératrice, de Walewski et des catholiques français. Une menace encore plus grave se précisait : la Prusse, pour manifester sa solidarité avec l'Autriche, venait de mobiliser près de 400 000 hommes sur le Rhin, et le sou-

Garibaldi. Ce chef des volontaires italiens, qui, à cause de leur habillement, avaient reçu le nom de « chemises rouges », avait pris part à la guerre d'Italie et vaincu les Autrichiens à Brescia, en juin 1859. L'année suivante, à la tête de l'expédition des Mille, il s'empara de la Sicile et entra dans Naples aux côtés de Victor-Emmanuel II. Musée du Risorgimento, Turin. *Phot. Fiore.*

verain français savait fort bien qu'il lui serait impossible de mener simultanément la guerre sur deux fronts.

Le 11 juillet, François-Joseph et Napoléon III se rencontraient à Villafranca et se mettaient rapidement d'accord sur les termes d'un traité signé à Zurich le 10 novembre. La Lombardie était cédée au Piémont et l'Autriche gardait la Vénétie. Les ducs de Toscane, de Parme et de Modène retrouvaient leurs États, d'où la révolution les avait chassés, et l'on constituerait une confédération italienne dont le pape serait le président.

Lorsque les conclusions de la rencontre de Villafranca furent connues au Piémont, ce fut une explosion de colère contre Napoléon III, considéré comme parjure au serment qu'il avait fait de rendre l'Italie libre jusqu'à l'Adriatique. En France, en revanche, de toutes parts, on applaudit la décision de l'empereur. La grande parade militaire organisée le 14 août pour le retour des troupes d'Italie provoqua le délire des spectateurs. Le lendemain, Napoléon III signa le décret accordant l'amnistie aux proscrits du 2-Décembre. De nombreux exilés allaient pouvoir revenir en France, à l'exception de quelques irréductibles, tel Victor Hugo, qui, de sa retraite de Guernesey écrivit : « Quand la liberté rentrera, je rentrerai. »

Nice et la Savoie. À l'armistice de Villafranca, Napoléon III avait renoncé à demander la cession de Nice et de la

Rencontre de Villafranca le 11 juillet 1859. Napoléon III et François-Joseph se mirent rapidement d'accord sur les préliminaires de paix, signés à Villafranca, qui ruinaient les espérances des Italiens. Le Piémont perdait momentanément l'espoir de réaliser l'unité italienne, et la défection du souverain français fut ressentie par ses alliés comme une véritable trahison. B.N., cabinet des Estampes.
Phot. B.N.

Entrée à Paris des troupes revenant d'Italie. Le 14 août, sur la place Vendôme, l'empereur, à la tête des régiments, s'arrêta pour saluer la tribune officielle où se trouvait l'impératrice. Les blessures des soldats, les drapeaux déchirés et brûlés par la poudre montraient à quel point les affrontements avaient été violents. Les zouaves furent salués par une véritable ovation et le petit prince impérial leur jeta son cordon de la Légion d'honneur, qui fut attaché à leur drapeau. B.N., cabinet des Estampes.
Phot. B.N.

Savoie. Cependant, l'évolution de la situation allait lui permettre très rapidement d'obtenir ces deux provinces, dont les habitants demandaient avec insistance leur rattachement à la France.

Les États de l'Italie centrale, Toscane, Modène, Parme et Romagne, se soulevaient de nouveau pour obtenir d'être réunis au Piémont-Sardaigne, ce qui ne pouvait se faire qu'au détriment des États du pape. Impressionné par la puissance du mouvement national italien et passant pardessus les clauses du traité de Zurich, Napoléon III se décida subitement à appuyer les revendications des peuples de la Péninsule. Une brochure, *le Pape et le Congrès,* sous la signature de La Gueronnière, une nouvelle fois porte-parole de l'empereur, parut en décembre 1859 pour conseiller au pape de se contenter de Rome. Quelques jours plus tard, Napoléon III adressa au pape une lettre personnelle reprenant les termes de l'opuscule de La Gueronnière et demandant au souverain pontife de faire le sacrifice de ses provinces. En janvier 1860, le remplacement aux

Affaires étangères de Walewski, défavorable au Piémont, par Thouvenel témoigna du revirement de la politique de l'empereur, décidé à ne plus tenir compte de l'opposition manifestée par les catholiques français à l'égard de l'unité italienne. Après bien des tractations diplomatiques, Thouvenel obtint la signature d'un traité francosarde le 24 mars : Napoléon III laissait le Piémont annexer les États de l'Italie centrale et recevait en échange Nice et la Savoie.

Dans l'allégresse, les Niçois et les Savoyards répondirent massivement aux plébiscites organisés en avril 1860 et, à une majorité quasi absolue, se prononcèrent pour leur rattachement à la France. Six mois plus tard, l'empereur et l'impératrice accomplirent un voyage triomphal dans les deux nouvelles provinces françaises.

La France en Afrique. À des milliers de kilomètres de là, l'influence française s'étendait et, pendant tout le second Empire, l'ampleur de l'expansion coloniale témoigna du souci que Napoléon III, pour des raisons de prestige et d'intérêts économiques, accorda à la pénétration de la France en Afrique et en Orient.

L'empereur rêvait de constituer un grand empire africain, ce qui le poussa à s'intéresser à l'achèvement de la conquête de l'Algérie et à favoriser l'œuvre menée par

Faidherbe au Sénégal. En Algérie, des expéditions furent organisées pour pacifier les dernières régions qui n'étaient pas contrôlées par l'armée française : de 1852 à 1854, les oasis du Sud, Laghouat, Ouargla et Touggourt, furent occupées et, en 1857, la Grande Kabylie fut entièrement soumise par le général Randon. Mais le

La défense de Médine, en 1855. Le chef musulman El-Hadj Omâr, avec 15 000 Toucouleurs, fit le siège du fort de Médine, dans le haut Sénégal, défendu par 7 Européens et 50 indigènes commandés par Paul Holl. Faidherbe put secourir les assiégés à bout de force. Dessin de G. Dascher, B.N., cabinet des Estampes. *Phot. B.N.*

Les habitants de Chambéry vont voter. En avril 1860, comme les Niçois, les Savoyards se rendirent en masse aux bureaux de vote pour participer au plébiscite. Les Niçois, par 25 743 oui contre 260 non, et les Savoyards, par 13 053 oui contre 235 non, approuvèrent leur rattachement à la France. C'était pour Napoléon III le seul résultat véritablement positif de la guerre d'Italie. Peinture de Louis Houssot, Musée savoisien, Chambéry. *Phot. Éditions Edy, Chambéry.*

statut politique du pays restait imprécis. Pendant deux ans, de 1858 à 1860, on créa un ministère de l'Algérie confié au prince Jérôme, mais, en 1860, devant les difficultés rencontrées par ce ministère, on fut obligé de rétablir le gouverneur général. Lors d'un voyage en Algérie en 1860, Napoléon III déclara : « Je suis empereur des Arabes aussi bien que celui des Français », mais, malgré les marques d'intérêt répétées qu'il témoigna à l'égard de la population musulmane, sa politique d'intégration des Algériens se heurta aux exigences des militaires et aux ambitions des grandes sociétés financières installées dans le pays.

Au Sénégal, la nomination en 1854 de Faidherbe comme gouverneur allait donner un essor décisif à l'établissement de la France en Afrique. Doté d'une forte personnalité, ce jeune gouverneur de trente-six ans mena simultanément la conquête de l'intérieur du Sénégal et la mise en valeur économique du pays. Combattant sur trois fronts, il contraignit les Maures à se cantonner sur la rive droite du fleuve Sénégal, soumit le royaume de Cayor sur la côte entre Saint-Louis et Gorée et, après des combats acharnés dans le haut Sénégal contre les Toucouleurs dirigés par le musulman El-Hadj Omar, fit passer sous domination française la région de Médine. Mais l'action de Faidherbe ne se borna pas à conquérir militairement le Sénégal : très préoccupé du sort des indigènes, pour lesquels il créa de nombreuses écoles, il s'employa à développer l'économie du pays en intensifiant la culture de l'arachide, fonda le port de Dakar et améliora les structures administratives. Les réalisations de Faidherbe au Sénégal préparaient l'action ultérieure de la France en Afrique occidentale.

La vie parisienne. Pendant ce temps, à Paris, on s'amusait follement et il semblait qu'une véritable frénésie de plaisirs se fût emparée de la ville. À l'instar de la cour impériale, les salons de la princesse de Metternich, de la duchesse de Morny ou

Jacques Offenbach. Le spirituel compositeur allemand devint vite célèbre par la gaieté pétillante et irrésistible de ses opéras bouffes. Avec la complicité de ses librettistes, Meilhac et Halévy, il amusa les Français et les étrangers en les amenant dans la Grèce fantaisiste de la Belle Hélène ou d'*Orphée aux Enfers* et en les entraînant dans les tourbillons endiablés de *la Vie parisienne*. Photographie de Nadar.

Phot. Archives photographiques.

de madame de Persigny réunissaient pour de somptueuses réceptions des invités venus de l'Europe entière pour goûter aux raffinements de la vie parisienne. Aux Champs-Élysées ou sur l'avenue du Bois défilaient tous les jours les équipages luxueux dans lesquels trônaient les beautés parisiennes, comtesses de l'aristocratie ou « lionnes » du demi-monde accompagnées par les jeunes élégants, « gandins », « cocodès » ou « petits crevés ». L'Anglaise Cora Pearl, la Païva, venue de Russie, et bien d'autres courtisanes de haute volée furent les reines de ce Paris qu'elles émerveillaient de leurs toilettes, et, pour exaucer leurs fantaisies extravagantes, se ruinaient joyeusement nobles et financiers.

Les Boulevards restaient le lieu de rendez-vous favori de ceux qui voulaient se donner du bon temps. Les terrasses des cafés ne désemplissaient pas de Parisiens venus là pour voir et se faire voir. On mangeait des glaces chez Tortoni et l'on sirotait de l'absinthe au café du Helder.

Le boulevard des Italiens. Avec leurs théâtres, leurs restaurants et leurs cafés, les boulevards parisiens ne désemplissaient pas d'une foule animée et avide de plaisirs. Lithographie d'Eugène Guérard, musée Carnavalet. *Phot. Lauros-Giraudon.*

Le bal Mabille. En 1844, le fils d'un maître à danser installa près des Champs-Élysées un bal public dont le pavillon chinois et les palmiers factices devinrent vite célèbres. Le temps d'une polka ou d'une valse, nombreuses furent celles qui se firent un nom dans ce haut lieu de la nuit parisienne. Lithographie d'après Linder, château de Compiègne. *Phot. Tallandier.*

Les cafés-concerts, le Bataclan, l'Eldorado ou l'Alcazar faisaient leur plein de consommateurs qui applaudissaient la chanteuse comique Thérésa et sa fameuse *Femme à barbe,* et reprenaient en chœur la rengaine à la mode, *les Bottes à Bastien.* Au bal Mabille ou à la Closerie des Lilas, étudiants et lorettes se déchaînaient dans des polkas ou des cancans endiablés. Et, le soir, tout le monde se retrouvait dans les théâtres de la capitale. À l'Opéra, on acclamait les célèbres cantatrices, la Patti ou Christine Nilson, mais on sifflait *Tannhaüser,* que la princesse de Metternich, férue de Wagner, avait voulu faire connaître aux Parisiens. Le roi du théâtre parisien fut sans conteste le spirituel Offenbach qui, dans ses opérettes, *Orphée aux enfers, la Belle Hélène* ou *la Grande-Duchesse de Gérolstein,* sut le mieux traduire le tourbillon de plaisirs de son époque.

Cora Pearl. La belle Anglaise Cora Pearl, de son vrai nom Emma Cruch, fut, comme la Païva ou Anna Deslions, une des grandes « lionnes » du second Empire, qui, après une brève carrière théâtrale, firent fortune dans la galanterie. Photographie Disderi.
Phot. coll. Sirot.

Repas de fête. Dans les salons somptueux des hôtels particuliers édifiés dans les nouveaux quartiers de Paris, ou dans les cabinets particuliers des restaurants à la mode, des amateurs de plaisir épuisaient leurs nuits dans les réceptions brillantes. Le tourbillon du « monde où l'on s'amuse » fit souvent oublier les réalités plus dures du second Empire.
Phot. H. Roger Viollet.

Un couple de la bourgeoisie de province. Quel contraste entre l'éclat étourdissant de la vie parisienne et l'austérité affichée par la bourgeoisie française ! Au fur et à mesure qu'une véritable frénésie de plaisirs s'emparait de Paris, les règles du savoir-vivre des milieux bienpensants devenaient de plus en plus sévères et pudibondes.
Phot. coll. Sirot.

Et son interprète favorite, la belle Hortense Schneider, attira à Paris tous les souverains de l'Europe, venus, comme les personnages de *la Vie parisienne*, faire la fête dans la capitale de toutes les débauches.

Mais cette joyeuse insouciance restait limitée à certaines classes sociales : alors que le Tout-Paris profitait sans frein de tous les divertissements, la bourgeoisie demeurait austère et puritaine. Alors qu'il n'était question que des amours tumultueuses d'Hortense Schneider ou des excentricités de madame de Persigny, on jugeait et on condamnait pour obscénité *Madame Bovary* de Flaubert et *les Fleurs du mal* de Baudelaire.

Page suivante :
Hortense Schneider dans la Grande-duchesse de Gérolstein. L'interprète favorite d'Offenbach reçut les hommages de la plupart des altesses européennes, ce qui lui valut le surnom de « passage des princes ». Peinture de Pérignon, musée de Compiègne.
Phot. Tallandier.

60, 1859 MAGENTA ET SOLFERINO.

AMAINTES REPRISES, au cours des voyages qui, en 1852, l'avaient amené à parcourir le pays pour recueillir l'adhésion de ses compatriotes, le futur Napoléon III avait affirmé que son intention était de faire de la France un grand État moderne : développement de l'industrie, rénovation du commerce, création d'un système perfectionné de moyens de communication, transformation du cadre urbain, amélioration des conditions sociales, tous les points du programme que s'était fixé le candidat à l'empire allaient permettre au pays de connaître, en l'espace de vingt ans, un formidable essor économique. En stimulant les forces vives de la nation, en faisant progresser pendant son règne le revenu national de 50 p. 100, Napoléon III réalisait ses aspirations profondes. De tout temps, l'empereur s'était intéressé aux doctrines économiques et, lors de son incarcération au fort de Ham, il avait élaboré plusieurs projets d'amélioration technique. Pendant son séjour en Grande-Bretagne, il avait rencontré aussi bien des théoriciens que des industriels et ce fut un chef d'État au courant de tous les problèmes de production et de consommation qui s'engagea personnellement dès 1852 dans la voie de la modernisation de l'économie française, persuadé qu'il était que le progrès social ne pouvait passer que par la prospérité. Le bien-être qu'il voulait procurer aux Français compensait à ses yeux la perte des libertés que le régime impérial impliquait. Et, dans cette intention, il rassembla autour de lui une équipe d'hommes d'action et d'économistes, les frères Pereire, Michel Chevalier ou Talabot, tous plus ou moins adeptes du saint-simonisme.

L'économie de la France, au début du second Empire, restait encore paysanne et artisanale : elle allait entrer dans l'ère industrielle, grâce à la mise en œuvre de nouvelles techniques, de nouveaux procédés de fabrication, d'une mécanisation intensive. Le pays vivait comme replié sur lui-même à cause des barrières que le protectionnisme douanier dressait contre la concurrence étrangère. L'institution du

1852-1869 L'économie nouvelle

libre-échange permettra la circulation des marchandises entre la France et les pays d'Europe. Le développement spectaculaire du réseau ferré abolira les distances entre le nord et le sud, l'est ou l'ouest. Les banques et les sociétés financières fourniront les capitaux que nécessitait cette grande entreprise de modernisation.

Deux Expositions universelles allaient offrir à l'Europe le spectacle du dynamisme économique de la France. En 1855, dans le palais de l'Industrie, dont l'architecture contemporaine alliait le métal à la pierre, les exposants firent admirer aux visiteurs toutes les merveilles du machinisme. Douze ans plus tard, en 1867, pour la nouvelle Exposition universelle, tous les souverains de l'Europe se retrouvèrent à Paris, qui devenait l'auberge du monde. Le Champ-de-Mars suffisait à peine pour contenir l'immense bâtiment de 65 000 m² dans lequel on avait réuni 52 000 exposants. Isbas russes, pagodes chinoises, tombeaux aztèques ou campements arabes charmaient les passionnés d'exotisme, mais ce qui attirait le plus les badauds, c'était la galerie des machines où l'on présentait les multiples applications des découvertes scientifiques, électricité, air comprimé ou gaz d'éclairage. La grande curiosité de la galerie des matières premières était un nouveau métal, l'aluminium. Et, en admirant les énormes canons, merveilles de la technique des usines allemandes Krupp, nul n'imaginait que ces engins de guerre, dans un avenir proche, seraient tournés contre la France.

Napoléon III et l'impératrice visitent les travaux de l'Opéra. Transformer Paris en une capitale européenne à la mesure de la grande nation industrielle qu'il voulait édifier fut la grande préoccupation de Napoléon III pendant tout son règne. Peinture d'Éd. Gilis, château de Compiègne.
Phot. Lauros-Giraudon.

Napoléon III. La prospérité économique qui, de 1850 à 1870, transforma la France comme la plupart des nations européennes dut beaucoup à l'engagement personnel de l'empereur. Très attiré par les thèses saint-simoniennes, le souverain sut donner une impulsion décisive à de nombreux secteurs de l'économie en favorisant les initiatives hardies qui devaient participer au « bien-être des masses ». B. N., cabinet des Estampes.
Phot. B. N.

Vue de l'Exposition universelle de 1855. Pour témoigner au monde entier de la prospérité de la France, Napoléon III inaugura en 1855 la première Exposition universelle française en déclarant : « J'ouvre avec bonheur ce temple de la paix qui convie tous les peuples à la concorde. » Le souverain semblait oublier que, au même moment, l'armée française était engagée dans le siège de Sébastopol. B. N., cabinet des Estampes.
Phot. B. N.

L'OR ET L'ARGENT, deux mots qui, pendant le second Empire, symbolisèrent le vertige nouveau des richesses qui circulaient et nourrissaient la vie économique. Toutes les circonstances se trouvaient réunies pour favoriser cette opulence. La France était prospère, le régime fort instauré par Napoléon III redonnait confiance à la bourgeoisie et l'argent amassé pendant les gouvernements précédents sortit de ses réserves. Ce furent surtout les découvertes des mines d'or en Californie et en Australie qui amenèrent sur les marchés européens un afflux considérable de métal précieux, dont presque la moitié arriva en France. Le pouvoir d'achat augmenta, la monnaie se multiplia et la prospérité rejaillit sur les investissements. La nouvelle cathédrale de cette société nouvelle, c'était la Bourse de Paris, qui devint la première place financière de l'Europe. La soif de la spéculation saisit tout le monde, des fortunes considérables s'édifièrent, les millions valsaient et

À l'aube de l'ère moderne

La galerie des machines à l'Exposition universelle de 1855. Le palais de l'Industrie étonna par sa construction métallique et par sa nef centrale haute de 35 mètres. On pouvait y admirer toutes les réussites de l'industrie française ainsi que les réalisations les plus surprenantes venues du monde entier. Musée Carnavalet.
Phot. J.-L. Charmet.

Le palais de l'Exposition universelle de 1867. Cette seconde manifestation de la prospérité française laissa le souvenir d'une fête qui dura six mois et qui fit venir à Paris altesses et têtes couronnées de toute l'Europe. L'Empire brillait de ses derniers feux dans ce tourbillon prodigieux. Lithographie de Van Geleyn, bibliothèque historique de la Ville de Paris.
Phot. Larousse.

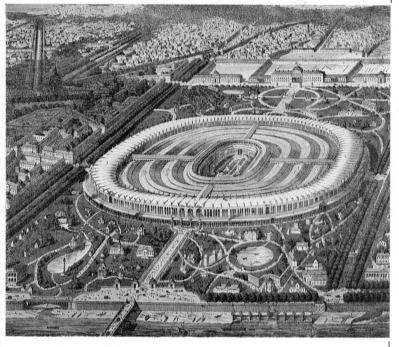

la folie de l'argent semblait avoir saisi la France entière.

La toute-puissance des banques.

Le renouveau financier passa par les banques. Lorsque Napoléon III prit le pouvoir, le système bancaire français, dominé par le nom des Rothschild, restait encore très traditionnel. Cependant, les conceptions du puissant James de Rothschild allaient se trouver confrontées aux idées défendues par les financiers de l'entourage impérial, les frères Pereire et Fould, qui, en application des doctrines saint-simoniennes, voulaient mettre la banque au service du développement de la production nationale.

Dès 1852, les deux principaux organismes de crédit du second Empire étaient fondés — le Crédit foncier et le Crédit mobilier. Le premier, dont le but, à l'origine, était d'aider les paysans par des prêts hypothécaires et de les inciter à moderniser leurs exploitations, servit en fait très vite à soutenir les grands travaux d'urbanisation. Fondé en novembre 1852 par Émile et Isaac Pereire, le Crédit mobilier se consacra au financement des réseaux de chemin de fer et des transports maritimes, permit la fusion des compagnies de

Le baron James de Rothschild. Ce grand banquier resta fidèle aux pratiques financières traditionnelles. Photographie de Disdéri, musée Carnavalet.
Phot. Lauros-Giraudon.

gaz de Paris, commandita les houillères du Nord et les constructions immobilières des grandes villes. Sous l'impulsion de ses dynamiques fondateurs, le Crédit mobilier participa au développement de nombreuses entreprises industrielles tant en France qu'à l'étranger. Mais, pour mener à bien ses entreprises de financement, le Crédit mobilier était contraint d'émettre de plus en plus d'obligations et se trouvait en concurrence avec la banque Rothschild. De nombreux rebondissements émaillèrent la lutte qui opposa pendant des années les banquiers saint-simoniens, protégés par Napoléon III, aux tenants de la finance traditionnelle. Au-delà des intérêts mis en jeu, c'étaient en vérité deux conceptions de la finance qui étaient entrées en conflit. Et, pour le tout-Paris, deux cérémonies mondaines symbolisèrent ce duel de géants : au mois de février 1859, alors que les Rothschild rouvraient, lors d'une grande fête, leurs salons restés fermés depuis la révolution de 1848, Émile Pereire inaugurait, dans une réception fastueuse, son hôtel particulier du faubourg Saint-Honoré. La tradition devait en fin de compte l'emporter, et le Crédit mobilier, en proie à des difficultés insurmontables, devait disparaître à la suite de la démission des frères Pereire en 1867.

À l'instar du Crédit mobilier, de nombreuses banques virent le jour sous le second Empire et drainèrent les capitaux

La corbeille des agents de change à la Bourse de Paris. Pendant le second Empire, Paris devint une des places financières les plus importantes de l'Europe. Les spéculateurs profitaient des variations de cours pour édifier des fortunes aussi rapides que fragiles. La cote de la Bourse était, disait-on, le roman le plus lu en France. B. N.
Phot. B. N.

Émile Pereire. Les deux frères Pereire, fidèles aux principes saint-simoniens, renouvelèrent la conception de la banque, qui se consacra au financement de l'industrie. Copie du tableau de Paul Delaroche, Compagnie générale transatlantique.
Phot. Lavaud, archives Tallandier.

des petits et des moyens épargnants. Le Comptoir d'escompte orienta ses activités vers l'Orient, la Chine et le Japon. Le Crédit Lyonnais, fondé par Henri Germain, recueillit les dépôts de la région rhodanienne. La Société générale concurrença le Crédit mobilier dans l'aide qu'elle apporta au financement des grands travaux. Quant à la Banque de France, elle ouvrit une succursale dans chaque département. En 1867, un statut légal était accordé aux sociétés anonymes. Désormais, des groupes financiers pouvaient constituer ces sociétés sans l'appui du gouvernement. En contrepartie, ce dernier n'offrait plus la garantie à la nouvelle société.

Avec le développement bancaire, les habitudes du public changèrent. Sous le second Empire, l'utilisation des billets de banque se généralisa et leur émission quadrupla. À l'instigation de l'empereur, la valeur légale des chèques fut reconnue.

Des communications plus faciles.

« Nous avons d'immenses territoires incultes à défricher, des routes à ouvrir, des ports à creuser, des rivières à rendre navigables, des canaux à terminer, notre réseau de chemins de fer à compléter », s'était écrié Napoléon III en 1852. Selon le désir de l'empereur, le crédit profita en priorité aux moyens de communication en France, un équipement vital pour permettre le développement économique du pays.

l'action prioritaire porta sur l'aménagement du réseau ferré, tâche à laquelle Napoléon III accordait un intérêt particulier. En 1852, il n'y avait guère que 3 000 km de voies ferrées sur le territoire français, administrées de façon incohérente par une vingtaine de compagnies. À la fin du second Empire, les lignes exploitées auront sextuplé et l'ensemble de la France, du nord au sud, de l'est à l'ouest, était desservi par le train. Ce qui contribua au développement

spectaculaire du chemin de fer, ce fut la fusion des lignes existantes en six compagnies ferroviaires, celles du Nord, d'Orléans, du Midi, de l'Ouest, de l'Est et du P.L.M., qui, dirigées par les grands financiers du temps, les Pereire, Rothschild, Enfantin, Talabot, se partagèrent la France avec un monopole d'exploitation de quatre-vingt-dix-neuf ans.

La révolution ferroviaire eut des conséquences profondes dans la vie économique du pays. Les gares se multiplièrent dans les provinces, les échanges s'accélérèrent entre les régions. Produits agricoles ou manufacturés, matières premières nécessaires aux industries circulèrent rapidement. Dans bien des campagnes, on passa d'une production destinée à la con-

sommation locale à l'exploitation exclusive d'une culture susceptible d'être exportée. Ce fut en particulier le cas dans le Languedoc, où le vignoble remplaça les autres formes d'exploitation du sol. Mais le développement des voies ferrées fit aussi des victimes : il accentua la prépondérance de Paris, vers lequel convergeaient toutes les lignes, et porta un coup fatal à certaines activités locales comme le colportage ou les foires.

Comme le rail, les communications maritimes bénéficièrent d'un essor prodigieux sous le second Empire. La navigation à vapeur prit la première place. De grandes compagnies se réservèrent le monopole des transports par mer, les Messageries maritimes, créées en 1851, qui assuraient

La gare Saint-Lazare. En faisant du développement ferroviaire une action prioritaire, le pouvoir contribua à modifier toute la vie économique du pays. Musée Carnavalet.

Phot. Lauros-Giraudon.

Intérieur d'un bureau de poste ambulant. La poste profita de l'extension du réseau de chemin de fer, grâce auquel il n'y avait plus de régions isolées en France. Gravure tirée des *Tableaux de Paris,* musée Carnavalet.
Phot. Lauros-Giraudon.

Le *Washington*, paquebot-poste à aubes. Le navire est mû à la fois par les voiles et par la vapeur. Les grandes compagnies, créées à partir de 1850, assurèrent très vite le contrôle de toutes les liaisons maritimes avec l'Orient et l'Amérique. Lithographie de Le Breton.
Phot. Compagnie générale trans-atlantique.

les services méditerranéens, et la Compagnie générale maritime, qui, à partir de 1855, contrôla le trafic vers l'Amérique. Transformée en 1862 en Compagnie générale transatlantique, celle-ci transporta les Européens jusqu'au Nouveau Monde sur de grands paquebots, dont le premier, la *Louisiane,* prit la mer à Saint-Nazaire en 1862. Pour répondre aux exigences nouvelles des transports maritimes, on modernisa les ports de Marseille, du Havre, de Dunkerque et de Saint-Nazaire.

Partout, la priorité fut donnée aux moyens de communication : des routes nationales furent construites dans toute la France. Un effort particulier fut consacré au développement des chemins vicinaux, qui rendaient la vie plus facile dans les campagnes. De 1855 à 1870, on fora à travers les Alpes le tunnel dit « du Mont-Cenis », long de 12 km, qui permettait de rejoindre rapidement l'Italie. Et on ne se contentait pas de faciliter les contacts entre les pays européens : en Égypte, le saint-simonien Ferdinand de Lesseps entamait en 1859 les travaux de percement de l'isthme de Suez et préparait ainsi l'ouverture de la route maritime vers l'Orient.

La vie quotidienne des Français allait aussi se trouver transformée par des techniques qui leur permettaient d'être plus

Une batteuse à vapeur. En 1850, les agriculteurs représentaient plus de 60 p. 100 de la population active, mais leurs techniques étaient encore très archaïques. Cependant, elles se modernisèrent peu à peu par l'adoption d'un outillage perfectionné qui permit un accroissement de la production agricole. D'après un dessin de Louis-Eugène Lambert pour le *Magasin pittoresque.*
Phot. Hachette.

Les usines Schneider au Creusot. Le Creusot, avec 10 000 ouvriers, 15 hauts fourneaux, 160 fours à coke et 85 machines à vapeur, devint sous le second Empire la capitale de la métallurgie française. La grande industrie moderne connut un développement décisif grâce à la concentration des moyens de production et au dynamisme des grandes dynasties patronales. Aquarelle de Bonhommé.
Phot. J.-L. Charmet.

proches les uns des autres. Le télégraphe électrique, réservé à l'origine aux communications officielles, s'ouvrait au public à partir de 1851 et, grâce à la multiplication de ses lignes, couvrit en dix ans toute la France. Les premiers câbles sous-marins étaient immergés en Méditerranée et dans l'Atlantique. Enfin, la poste profitait aussi de l'essor donné au développement des communications. Une invention récente, le timbre-poste, était entrée dans l'usage en 1849, et les plis ornés de l'effigie carmin ou azurée de Napoléon III circulèrent dans tout le pays.

La révolution industrielle. Dans la course à la modernisation, l'agriculture ne fut pas oubliée, mais, malgré de sérieux efforts dans ce domaine, les progrès furent beaucoup plus lents. Comme dans les autres secteurs de la vie économique, le pouvoir se donna pour but d'améliorer le rendement par des méthodes nouvelles. On enseigna la chimie agricole à Rouen, à Nantes, à Bordeaux. Les écoles de Grignon et de Montpellier fournirent des ingénieurs agronomes. De nouveaux engrais, tel le guano, améliorèrent la production et de grands travaux de drainage assainirent les Landes, la Sologne et les Dombes.

Cependant, plus que l'agriculture, ce fut l'industrie qui profita de la politique du nouveau régime. L'aide apportée par les établissements de crédit, les facilités de plus en plus grandes pour communiquer dans toute la France allaient faire prospérer l'industrie moderne, forte de sa mécanisation de plus en plus généralisée. Les petits ateliers cédèrent la place aux grandes usines et des complexes industriels transformèrent les régions du Creusot, de Saint-Étienne, de Mulhouse et des trois villes du Nord, Lille, Roubaix et Tourcoing. La métallurgie fit des progrès décisifs grâce à l'emploi de la fonte au coke qui, dans les hauts fourneaux, remplaça la fonte au bois. L'acier et le fer, devenus indispensables dans la construction des voies ferrées, des navires ou des bâtiments modernes, furent produits en grande quantité. Les découvertes scientifiques recevaient des applications immédiates dans toutes les branches de l'industrie : l'introduction du procédé Bessemer en 1860 révolutionna l'industrie sidérurgique ; la découverte des couleurs d'aniline transforma la teinturerie traditionnelle. Les machines de plus en plus perfectionnées permirent, aussi bien dans la métallurgie que dans l'industrie textile, d'améliorer le rendement et les conditions de travail.

Les particuliers recueillirent les bienfaits de cette modernisation : le gaz fut utilisé pour l'éclairage et la cuisine. Un progrès décisif dans la couture fut atteint lorsque la machine à coudre, inventée par le Français Thimonnier et commercialisée par l'Américain Singer, devint d'usage courant.

Le libre-échange. Napoléon III, pour transformer les habitudes commerciales des Français, n'hésita pas à bouleverser complètement les réglementations en vigueur, dont la plupart remontaient à Colbert. Avant le second Empire, le protectionnisme régnait en France : des produits

Napoléon III et John Bull signent le traité de libre-échange. L'Anglais Bull et Napoléon III s'offrent mutuellement leurs richesses nationales. En supprimant les barrières douanières, le traité franco-anglais de 1860, malgré les violentes réactions qu'il suscita en France, devait permettre au commerce extérieur de prendre un essor considérable. Dessin du *Punch*.
Phot. Larousse.

étrangers ne pouvaient pénétrer en France librement et les rares qui étaient autorisés à franchir les barrières douanières étaient frappés de droits considérables pouvant atteindre 100 p. 100 de leur prix. Napoléon III avait été fortement intéressé par le système de libre-échange instauré en Angleterre par Richard Cobden et qui, en l'espace de quelques années, avait donné des résultats spectaculaires. Dès son arrivée au pouvoir, l'empereur se préoccupa de modifier le système commercial français, mais il se heurta aux réticences des industriels. Les premières mesures qu'il prit pour réduire les droits sur certaines matières premières importées, telles que houille, fer, fonte, soulevèrent de nombreuses protestations.

À son habitude, Napoléon III se décida alors à mener secrètement les préparatifs qui lui permettraient de réaliser son projet libre-échangiste. Les quelques personnes de son entourage qui furent mises au courant, Rouher, Michel Chevalier et les frères Pereire, l'aidèrent à jeter les bases d'une zone de libre-échange avec l'Angleterre. Il était nécessaire en effet, pour stimuler les progrès de l'industrie française, de la mettre en concurrence avec les Britanniques. D'autre part, l'entente politique avec la Grande-Bretagne, mise en danger par la campagne des Français en Italie, désapprouvée ouvertement par la reine Victoria, ressortirait fortifiée d'un accord économique. À plusieurs reprises, Michel Chevalier se rendit en Angleterre où il rencontra Richard Cobden. Ce dernier vint même en France en octobre 1859 et s'entretint en secret avec Napoléon III. À la suite de cette conversation décisive, les négociations furent menées rapidement entre les émissaires anglais et les Français Rouher et Chevalier.

Le 23 janvier 1860, alors que le public, les industriels et même le Corps législatif avaient été constamment tenus dans l'ignorance des tractations menées de part

et d'autre, un traité de commerce fut signé entre la France et l'Angleterre, instituant la libre circulation des marchandises entre les deux pays, en particulier la houille, les fils de laine et de coton. Les droits qui subsistaient ne pouvaient dépasser 30 p. 100. Ce « coup d'État douanier » fit pousser de hauts cris aux industriels, qui accusèrent la politique impériale de vouloir la mort de leurs usines et la mise au chômage de leurs ouvriers. Sans se laisser convaincre

Aristide Boucicaut. En ouvrant à Paris les magasins du *Bon Marché* en 1852, Boucicaut créait une nouvelle forme de commerce qui modifiait profondément des habitudes remontant au Moyen Âge. Par des méthodes de vente révolutionnaires et de nombreuses astuces destinées à attirer la clientèle féminine, l'ancien commis du *Petit Saint-Thomas* ouvrait la voie à la multiplication des « grandes surfaces ». Collection du *Bon Marché*.
Phot. Luc Joubert, archives Tallandier.

Madame Boucicaut. La charitable épouse d'Aristide Boucicaut consacra son temps et son argent à de nombreuses œuvres philanthropiques.
Phot. Luc Joubert, archives Tallandier.

Les magasins du *Bon Marché*. Devant le succès croissant de son entreprise, Boucicaut agrandit en 1869 son magasin, qui occupa tout le quadrilatère compris entre les rues de Sèvres, du Bac, Velpeau et de Babylone.
Phot. Coll. Sirot.

par leurs plaintes, Napoléon III, toujours aussi entêté, maintint sa décision envers et contre tout. Cependant, pour calmer les esprits, il créa une caisse de prêts destinés à aider les industriels à s'équiper et à leur permettre ainsi de concurrencer efficacement les Anglais.

Les craintes des industriels étaient exagérées. Comme l'avait prévu Michel Chevalier, le libre-échange les contraignit à moderniser leurs entreprises et encouragea le développement de la plupart des secteurs économiques. À la suite du traité signé avec la Grande-Bretagne, la France conclut des accords semblables avec la Belgique, la Prusse et le Zollverein allemand en 1862, puis avec la plupart des nations européennes. En 1866, les échanges étaient libérés avec tous les pays européens, le commerce extérieur de la France doubla en l'espace de dix ans et favorisa le développement industriel.

« Au bonheur des dames ». Lorsque Aristide Boucicaut, ancien « calicot » au *Petit Saint-Thomas,* ouvrit, en 1852, rue de Sèvres, son magasin de nouveautés, *Au Bon Marché,* se doutait-il qu'il était en train de bouleverser le commerce français ? Alors que, dans les boutiques traditionnelles, on compensait par le marchandage les ventes peu nombreuses sur lesquelles on tirait des bénéfices substantiels, Boucicaut avait décidé de « casser les

prix » en limitant ses marges bénéficiaires. Le prix, indiqué sur l'objet en vente, restait fixe et, *Au Bon Marché*, le client était à l'abri des mauvaises surprises. Dans le magasin, l'entrée était libre. Les badauds pouvaient flâner dans les allées, tâter des étoffes ou essayer des châles sans être importunés par les vendeurs et sans être tenus d'acheter. Chaque rayon était spécialisé dans une catégorie particulière d'articles. Et, pour de nombreuses clientes, l'argument décisif était qu'elles avaient la possibilité de « rendre » la marchandise qui ne leur plaisait plus et de s'en faire rembourser le prix.

Le succès remporté par cette forme nouvelle et attrayante de commerce fut immédiat. Jamais à court d'idées, Bouci-

caut trouvait constamment de nouvelles méthodes pour séduire sa clientèle. Les marchandises pouvaient être livrées à domicile et, dans tout Paris, circulaient les voitures de livraison rayées de jaune et de rose, qui assuraient la publicité du magasin. Les provinciales n'étaient pas oubliées : un service de vente par catalogue illustré

accompagné d'échantillons assura dans toute la France la distribution des articles du *Bon Marché*. Le mois de janvier restait traditionnellement peu rentable. M. Boucicaut, en contemplant les rues de la capitale couvertes de neige, eut l'idée de proposer pendant ce mois le linge de maison à des prix exceptionnels. Les grandes expo-

Alfred Chauchard. Émule de Boucicaut, Chauchard fonda les magasins du *Louvre* et consacra une partie de ses bénéfices à collectionner peintures et objets d'art, qu'il légua au Louvre. Peinture de B. Constant, musée du Louvre.
Phot. Lauros-Giraudon.

sitions de « blanc » étaient nées et, par la suite, chaque mois de l'année sera spécialisé dans une vente particulière. Malgré les esprits chagrins qui reprochaient aux grands magasins de pousser les femmes à acheter plus que leurs besoins et de développer la kleptomanie, les initiatives d'Aristide Boucicaut furent couronnées de succès. Le chiffre d'affaires du *Bon Marché*, qui était de 450 000 francs en 1852, atteignit vingt millions en 1869. Le bâtiment d'origine, auquel s'étaient ajoutées les boutiques voisines, devenait trop exigu et, en 1869, on entreprit de construire un immense magasin à la taille de la réussite de son fondateur.

Comme bien des patrons philanthropes de son époque, Aristide Boucicaut ne se contentait pas d'être un promoteur génial d'une nouvelle forme de commerce, il voulait aussi donner à son œuvre une dimension sociale. Il fit participer ses employés au chiffre d'affaires du magasin en leur octroyant une commission sur les ventes. Il créa des services sociaux, caisse de retraite, assistance médicale, cantine, bibliothèque destinés au personnel du *Bon Marché*, et ce fut « Aristide le Juste » qui, le premier en France, accorda le repos hebdomadaire et les congés annuels.

L'exemple d'Aristide Boucicaut fut suivi : avec l'aide des Pereire, un autre « calicot », Chauchard, fonda en 1855, rue de Rivoli, *le Louvre*. Un ancien employé de Boucicaut,

Le rayon « literie » dans un grand magasin. Dans ces modernes palais du commerce, les clients pouvaient trouver réunies toutes les catégories de marchandises regroupées en rayons spécialisés placés sous la surveillance d'un « chef » commandant à toute une armée de vendeurs.
Phot. Jean Dubout, archives Tallandier.

De nombreux magasins s'inspirèrent des méthodes de Boucicaut, telle cette boutique qui s'ouvrit en 1868 et promettait à sa clientèle de rembourser les marchandises rendues. Les commerçants surent aussi utiliser la publicité pour se faire connaître : prospectus, affichettes, « réclames » dans les journaux devinrent des pratiques commerciales courantes. Musée Carnavalet.
Phot. J.-L. Charmet.

Jaluzot, en 1865, installa près du nouvel Opéra les grands magasins du *Printemps*. Un camelot, Ernest Cognacq, et sa femme, Marie-Louise Jay, furent les fondateurs d'*À la Samaritaine*. Dans l'alimentation,

Félix Potin, vers 1850, eut l'idée de créer des magasins à succursales multiples. Dans les bourgs, on vit s'ouvrir des épiceries-bazars. Toutes ces innovations commerciales portèrent sans aucun doute un

rude coup au commerce de détail. Cependant, les petites boutiques continuèrent à prospérer et toutes n'eurent heureusement pas le triste sort des petits commerçants évoqués par Émile Zola dans *Au bonheur*

Construction du viaduc du chemin de fer de ceinture sur le boulevard Exelmans. Depuis son séjour à Londres, Napoléon III avait conçu pour Paris le plan d'une capitale moderne et, tout au long de son règne, suivit de fort près le programme de grands travaux entrepris en 1853. Paris étouffait avec ses rues étroites qui rendaient la circulation difficile. En perçant de larges avenues rectilignes, en facilitant l'accès de la capitale par la route et le chemin de fer, Haussmann favorisait le développement économique de la ville. Paris, qui n'avait guère changé depuis le XVIIIe siècle, devenait en quelques années une métropole prestigieuse.
Phot. Coll. Sirot.

des dames, contraints de déposer leur bilan parce qu'ils étaient incapables de lutter avec les nouvelles grandes surfaces.

La capitale des capitales. « Les journaux de Londres ne nous avaient pas parlé de ce tremblement de terre », s'exclamaient des touristes anglais perdus dans les décombres représentés sur une caricature de l'époque. Ce n'était pas un tremblement de terre qui avait ainsi bouleversé les rues de Paris, mais les vastes travaux entrepris depuis 1853 pour métamorphoser la cité en une ville nouvelle.

La transformation de la capitale fut la grande idée de Napoléon III. Pour accroître le prestige de son règne, il voulait édifier une métropole dont la beauté surpasserait celle de toutes les capitales d'Europe. Paris, avec ses rues étroites, mal éclairées, ses vieux quartiers peu aérés, ses maisons vétustes dépourvues de confort, ressemblait encore à une cité du Moyen Âge. Pour l'empereur, il fallait entièrement remodeler la ville, avoir le courage de démolir pour reconstruire plus large, plus grand. La métamorphose de la capitale présentait en outre de nombreux avantages : les travaux allaient donner du travail aux ouvriers et éviter le chômage. Une œuvre humanitaire de réhabilitation des quartiers malsains de Paris ne pouvait que servir les projets sociaux de l'empereur. Enfin, les événements de 1848 et de 1851 avaient montré les dangers que faisaient encourir au pouvoir les ruelles tortueuses où pouvaient s'élever des barricades. Les grandes voies rectilignes décourageraient les émeutiers et se prêteraient mieux aux tirs d'artillerie.

Pour mener à bien son projet, Napoléon III prit pour collaborateur un homme énergique, que rien ni personne n'arrêtaient, le baron Georges Haussmann, nommé préfet de la Seine en 1853. Ce maître d'œuvre, insensible aux violentes attaques dont il fut l'objet, aussi entêté que l'empereur qui le soutint envers et contre tout, surmonta toutes les oppositions. Il eut l'aide efficace des frères Pereire, qui financèrent de nombreuses constructions du nouveau Paris. L'empereur manifesta toujours le plus grand intérêt pour ces travaux qu'il avait personnellement projetés. Dans son bureau, un grand plan de Paris, qu'il avait zébré de traits de crayons bleus, rouges ou verts pour indiquer les transformations à effectuer, lui permettaient de suivre de très près les améliorations de la capitale.

Le baron Haussmann. Cet énergique Alsacien attacha son nom au nouveau Paris qu'il transforma complètement. Travailleur infatigable, le préfet de la Seine passa outre l'opposition de la plupart des membres du gouvernement et se soucia peu des critiques que suscita sa démolition du vieux Paris. On lui reprocha surtout les sommes énormes qui furent investies dans les travaux d'embellissement et d'assainissement de la capitale. B. N., cabinet des Estampes.
Phot. Tallandier.

Travaux nocturnes des constructions de la rue de Rivoli. Pour accélérer la réalisation des projets d'embellissement de Paris, on travaillait aussi de nuit, à la lumière électrique. De tous côtés, on ne voyait que maisons éventrées, tranchées et échafaudages. Des ouvriers accoururent de la France entière pour être embauchés sur les chantiers qui s'ouvraient dans tous les quartiers. Gravure de Jules Gaildrau, B. N.
Phot. Lauros-Giraudon.

Pendant quinze ans, Paris devint la proie des maçons, des entrepreneurs, des charpentiers. Partout on éventra les vieux quartiers, l'île de la Cité fut débarrassée des maisons sordides qui l'encombraient, les vieilles barrières des fermiers généraux furent abattues. On construisit de larges avenues. Deux grandes voies traversèrent la ville d'est en ouest, de la place du Trône à l'Étoile par la rue de Rivoli, et du nord au sud, de la gare de l'Est à l'Observatoire, par les boulevards de Strasbourg, de Sébastopol et de Saint-Michel. De nombreux boulevards, macadamisés selon une technique nouvelle, aérèrent les quartiers au nord et au sud de la Seine. Pour fournir son « poumon » à la capitale, on aménagea, en différents points de la capitale,

L'architecte Charles Garnier. À l'impératrice, qui lui demandait quel pouvait bien être le style du nouvel Opéra qu'il s'apprêtait à construire, le jeune architecte avait répondu : « C'est du Napoléon III, majesté ! » Peinture de Paul Baudry, château de Versailles.
Phot. Lauros-Giraudon.

Les sculpteurs de l'Opéra de Paris. Sous la direction de Charles Garnier, soixante-treize sculpteurs se partagèrent la réalisation des multiples statues, bustes et médaillons qui ornèrent la façade surchargée de décorations de l'Opéra. Le monument, commencé en 1861, fut inauguré en 1875. B. N., cabinet des Estampes.
Phot. Tallandier.

de vastes parcs ouverts au public à Monceau, Montsouris, aux Buttes-Chaumont, on ceintura Paris de grands espaces verts, à l'est, le bois de Vincennes, à l'ouest, le bois de Boulogne, auquel conduisait la splendide avenue de l'Impératrice (l'actuelle avenue Foch). Deux rivières, la Vanne et la Dhuys, approvisionnèrent en eau les immeubles rénovés, et le système des égouts, entièrement refait, quadrupla de longueur.

Dans ce Paris transformé, de nouvelles constructions de prestige s'élevèrent. Répondant au désir de l'empereur qui voulait de « vastes parapluies », l'architecte Baltard construisit des Halles centrales

Le grand hôtel de la Terrasse Jouffroy à Paris. Pour visiter la capitale rénovée et admirer ses transformations, les touristes venaient de partout. L'hôtellerie parisienne connut elle aussi un essor considérable et profita de l'aide des banquiers qui financèrent la construction de ces édifices, dont le plus vaste, le *Grand Hôtel*, sur le boulevard des Capucines, comportait 750 chambres. Musée Carnavalet.
Phot. J.-L. Charmet.

L'église de Saint-Augustin. Conçue par l'architecte Baltard, qui la dota d'une armature métallique, cette église présente un curieux mélange de style byzantin et Renaissance. La plupart des monuments édifiés sous le second Empire s'inspiraient, avec plus ou moins de bonheur, du gothique, du roman ou de l'Antiquité, et les architectes de cette période ne surent pas créer un style véritablement original. Lithographie de Ch. Fichot, B. N., cabinet des Estampes.
Phot. B. N.

révolutionnaires pour lesquelles il n'employa que du fer et du verre. Charles Garnier, en 1861, commença l'édification d'un Opéra monumental. Partout des églises (Saint-Augustin, la Trinité), des hôpitaux, des casernes, des gares transformèrent la ville. De grands hôtels purent accueillir par centaines les visiteurs venus de la province et de l'étranger. Pour moderniser la ville, les inventions récentes furent mises à contribution : plus de 13 000 becs de gaz éclairèrent les rues pendant la nuit, des omnibus sillonnèrent la capitale et les premiers tramways apparurent.

Non content de faire de Paris une ville nouvelle, Napoléon III voulut aussi en reculer les limites : en 1860, un décret annexa les onze communes comprises à l'inté-

rieur de l'enceinte fortifiée de 1840. Les habitants de Passy, Grenelle, Montmartre, Auteuil ou Vaugirard devenaient parisiens.

Bien des critiques accompagnèrent cette rénovation de Paris. Si Haussmann avait amélioré en bien des points l'existence des Parisiens et assaini de nombreux quartiers de la capitale, les résultats esthétiques pouvaient sembler à certains égards contestables. Cependant, les grands travaux de Paris furent à l'image de cet essor surprenant qui, dans tous les domaines de la production, caractérisa le second Empire. La France était devenue, sous le règne de Napoléon III, la nation la plus riche de l'Europe. Ce fut cette prospérité qui lui permit de supporter financièrement le désastre de la guerre de 1870.

Les Halles de Baltard. Pour rassembler dans un vaste périmètre l'approvisionnement de la capitale, Baltard construisit un ensemble métallique dont l'audace fut fort admirée. Toute la nuit, ces pavillons, dont Zola a retracé l'activité dans *le Ventre de Paris*, grouillaient d'une foule fébrile travaillant au milieu des cris et des odeurs fortes.
Phot. Lauros-Giraudon.

L'égout collecteur de la gare de Strasbourg à la Seine, le jour de son inauguration par le général Espinasse, ministre de l'Intérieur. Le réseau des égouts, tracé par l'architecte Belgrand, s'étendit sur près de 420 kilomètres, et les eaux usées étaient acheminées à l'extérieur de la capitale. Ce fut la naissance d'un Paris souterrain sillonné par les conduites d'eau et de gaz et par les canalisations. B. N.
Phot. Lauros-Giraudon.

L'omnibus « D », Filles-du-Calvaire-les Ternes. Les omnibus qui permettaient de circuler dans la capitale furent bientôt concurrencés par les premiers tramways.
Phot. R. A. T. P.

Le chalet de la Porte Jaune au bois de Vincennes. Les bois de Boulogne et de Vincennes furent aménagés pour devenir des lieux de promenade ouverts aux piétons et aux cavaliers. Peinture de P. J. Ouvrié, musée Carnavalet.
Phot. Lauros-Giraudon.

Page suivante :
Napoléon III remettant à Haussmann les plans d'annexion des communes suburbaines. En décidant, le 1er janvier 1860, de réunir à la capitale les onze communes situées entre les barrières de l'octroi et l'enceinte fortifiée de 1840, Napoléon III donnait à Paris ses dimensions actuelles. Peinture d'Yvon, Bibliothèque historique de la Ville de Paris.
Phot. Lauros-Giraudon.

'ATTENTAT D'ORSINI avait ouvert une période de crise et un renforcement de l'autoritarisme. Cependant, ce durcissement était loin de traduire les aspirations réelles de Napoléon III, et l'image qu'il avait donnée du bonapartisme pendant les six premières années de son règne comportait trop d'aspects négatifs pour répondre aux conceptions qui avaient été celles du jeune Louis Napoléon lorsqu'il se disait héritier de la Révolution. L'empereur s'était voulu au-dessus des partis, or le régime autoritaire instauré après le 2 décembre 1851 reposait sur l'adhésion des notables et des catholiques. Mais les libéraux, réduits au silence pendant les premières années du second Empire, commençaient à constituer une force d'opposition.

Deux éléments allaient orienter la politique impériale vers une nouvelle voie. L'expédition italienne avait été suivie favorablement par les milieux de gauche partisans de la liberté de l'Italie. En revanche, les catholiques, outrés que l'indépendance italienne ait porté atteinte aux intérêts du pape, reprochaient à Napoléon III d'avoir favorisé le démembrement des États pontificaux. Prenant prétexte d'une encyclique pontificale demandant de rallier les fidèles à la défense du Saint-Siège, les évêques français dénoncèrent ouvertement l'attitude de la France dans la question italienne. Un des plus célèbres représentants de l'épiscopat, Mgr Dupanloup, fustigea l'empereur dans sa *Lettre d'un catholique*. Le directeur du journal *l'Univers*, Louis Veuillot, condamna ceux qui avaient menacé le pouvoir temporel du pape, ce qui

valut à *l'Univers* d'être supprimé. L'évêque de Poitiers, Mgr Pie, alla même jusqu'à parler de « Napoléon-Pilate » et fut poursuivi pour offense au chef de l'État.

Napoléon III dut affronter une autre ligue de mécontents. Le traité de libre-échange signé en 1860 avec l'Angleterre avait soulevé la réprobation des milieux industriels. La nouvelle politique économique, instaurée par l'abrogation du protectionnisme, bouleversait trop d'habitudes solidement ancrées, les industriels se sentaient menacés dans leurs intérêts, renâclaient à modifier leurs techniques et à moderniser leurs machines afin de concurrencer la production étrangère.

1860-1868 Vers l'Empire libéral

Pour compenser l'hostilité manifestée par les catholiques et par les partisans du protectionnisme, Napoléon III songea alors à se préparer une audience plus large en obtenant l'adhésion d'un certain nombre de libéraux, voire de républicains. Certes, l'empereur n'avait pas l'intention de se départir de son autorité. D'ailleurs en 1860, malgré les mécontentements catégoriels suscités par la politique italienne et commerciale de la France, l'Empire était dans une phase de grande prospérité, et il n'était pas nécessaire pour Napoléon III de consentir des concessions importantes. Mais la recherche de nouvelles alliances, une ouverture vers le libéralisme lui semblaient répondre à sa conception personnelle du pouvoir. De plus, l'empereur commençait à ressentir les premières atteintes de la maladie de la pierre qui allait profondément l'affecter pendant la seconde décennie de son règne. Les crises de plus en plus violentes dont il souffrait minaient sa volonté et le détournaient de l'exercice du pouvoir.

À partir de 1860, Napoléon III tenta de gagner une partie de l'opposition en accordant des concessions. Il était poussé en cela par Morny, qui, plus lucide et positif que l'empereur, avait compris que les partis de l'opposition représentaient une force qu'il était impossible de comprimer trop longtemps. « Il est temps de donner la liberté pour qu'on ne nous l'arrache pas », disait-il à son demi-frère. Cependant il n'y eut pas de transformation radicale et le personnel au pouvoir contrecarra bien souvent les tentatives de l'empereur. Le « demi-tour à gauche », ne fut en bien des points qu'une esquisse de libéralisation.

Réunion de famille. À l'image de cette famille paisible, Napoléon III aurait aimé mener sans heurt sa politique, mais les difficultés intérieures l'amenèrent progressivement à accorder des concessions et à transformer l'Empire autoritaire en Empire libéral. Peinture de Jean-Frédéric Bazille, musée d'Orsay, Paris.
Phot. Lauros-Giraudon.

DE LONGUE DATE, Napoléon III s'était intéressé à la condition ouvrière et avait rêvé d'un gouvernement qui allierait autoritarisme et protection sociale et qui serait une sorte de césarisme social. Lorsque ses appuis traditionnels commencèrent à lui faire défaut, il se tourna vers les travailleurs, qu'il espéra rallier à son régime.

La condition ouvrière. L'empereur s'était toujours montré soucieux d'améliorer la condition ouvrière, qui n'avait guère changé depuis le début du siècle et s'avérait particulièrement éprouvante. Les journées de travail, malgré la loi de 1848 qui fixait leurs limites à dix ou onze heures, atteignaient souvent quatorze ou même dix-sept heures. Certaines industries employaient en priorité les femmes et les enfants, qui présentaient l'avantage de toucher un salaire moindre que celui des hommes. Dans des conditions d'hygiène souvent déplorables, les travailleurs, sou-

mis à la discipline sévère que faisaient régner les contremaîtres dans les ateliers, étaient exposés aux nombreux accidents de travail provoqués par les machines mal protégées. Leur situation était rendue encore plus précaire par les longues périodes de chômage qui réduisaient la famille à la misère. Certes, la politique de grands travaux, instaurée par le second Empire, avait le mérite de multiplier les possibilités d'emploi, mais le chômage revenait régulièrement et pesait d'autant plus sur la classe ouvrière qu'aucune aide n'était prévue pour ceux qui se trouvaient sans gagne-pain. Le coût de la nourriture, le prix des loyers grandissaient plus vite que les salaires : en vingt ans, ces derniers n'avaient été majorés que de 40 p. 100 alors que le coût de la vie avait augmenté de 45 p. 100. Travail abrutissant et incertain, conditions misérables dans les taudis, vie familiale inexistante : une situation bien dure pour le prolétariat des villes, dont la seule évasion n'était bien souvent que

Les concessions indispensables

...site de Napoléon III aux ...vriers ardoisiers d'An-...rs pendant l'inonda-...n de 1856. Pendant ...s années d'exil, le futur ...pereur avait réfléchi aux ...yens d'améliorer le sort ...s « classes souffrantes » ...pendant son règne, il s'in-...essa de près à la condi-...n des ouvriers qu'il espé-...t rallier au régime. Peinture ... J.P. Antigna, musée des ...aux-Arts, Angers.
...t. Giraudon.

Ouvriers des forges de Firminy (Loire). Bien des ouvriers des grandes industries étaient des ruraux déracinés pour qui la vie dans les ateliers était particulièrement pénible.
Phot. Coll. Sirot.

Les ouvrières des mines de Bruay. Dans les mines et dans l'industrie textile, certains travaux pénibles étaient réservés aux femmes et aux enfants, que l'on payait moins que les hommes.
Phot. Coll. Sirot.

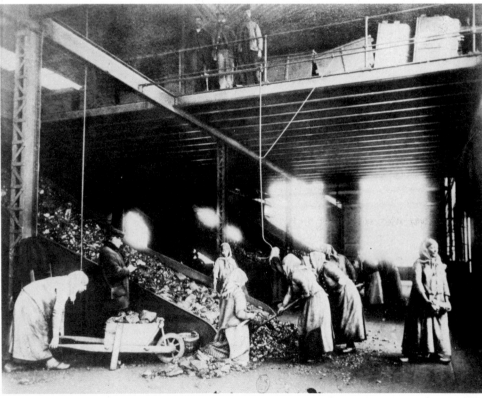

l'« assommoir », c'est-à-dire le débit de boissons où l'alcool lui offrait l'oubli.

Des ouvriers à l'Exposition de Londres. Face à ce monde ouvrier, rendu inquiétant par la masse qu'il représentait, les gouvernements successifs de la France s'étaient protégés par des mesures interdisant les associations. Depuis 1854, la loi obligeait l'ouvrier travaillant chez lui ou en atelier à posséder un livret, sorte de passeport visé par le patron et la police, et qui devait être présenté à toute réquisition.

L'empereur, lui, se préoccupait davantage de l'amélioration du sort ouvrier. Diverses mesures d'assistance tentèrent de remédier aux détresses les plus criantes. Le Mont-de-Piété, ultime recours des misérables, fut réorganisé en 1852 et les prêts qu'il accordait facilités. Des crèches, des orphelinats, des maisons de retraite et

autres institutions charitables furent fondés. L'impératrice se chargeait personnellement de patronner les œuvres philanthropiques et une partie de son emploi du temps était consacrée à visiter les établissements de bienfaisance et à secourir, dans les quartiers populaires, les miséreux. Lors de la naissance de l'héritier du trône, les 80 000 francs collectés dans le peuple parisien pour offrir un cadeau au petit prince furent destinés par Eugénie à la construction d'un orphelinat, mais il faut dire qu'à elle seule la layette du nourrisson impérial avait coûté plus de 100 000 francs ! Comme l'empereur, de nombreux chefs d'entreprise essayaient de rendre plus décentes les conditions de vie de ceux qu'ils employaient. Ainsi, à Mulhouse, le filateur Dollfus fit-il édifier des cités ouvrières pour donner un logement à ceux qui travaillaient dans ses usines.

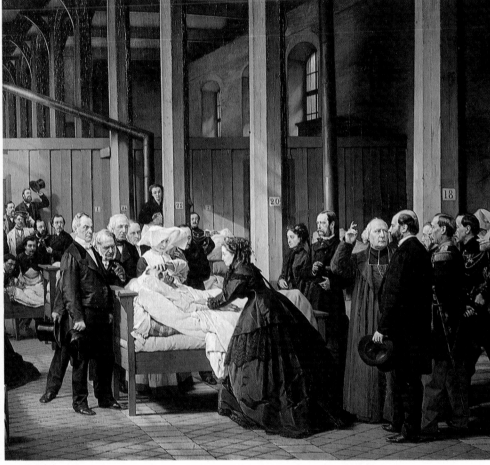

Le Mont-de-Piété. Cette vénérable institution était souvent l'ultime recours des plus déshérités et des chômeurs, qui venaient mettre en gage leurs vêtements ou leur mobilier « chez ma tante ». Pour tenter de remédier à l'appauvrissement de la classe ouvrière, on assouplit le système de prêts. Peinture de Ferdinand Heilbuth, musée des Beaux-Arts, Dijon. *Phot. Lauros-Giraudon.*

L'impératrice Eugénie visite les cholériques à l'hôtel-Dieu d'Amiens. Comme son mari, l'impératrice estimait qu'il était de son devoir de porter assistance aux malheureux. Mais, malgré ses multiples actes de charité, Eugénie ne parvint jamais à être véritablement populaire auprès du peuple français. Peinture de Paul-Félix Guérie, musée de Picardie, Amiens. *Phot. Nisso, archives Tallandier.*

Le conseil dans la mine.
Au début du second Empire, les ouvriers n'avaient pas le droit de s'associer et c'était plus ou moins clandestinement qu'ils constituaient sur leur lieu de travail des « sociétés de résistance », ébauche des syndicats. Leur revendication sur le droit de coalition se trouva en partie réalisée par les mesures de tolérance du pouvoir impérial à partir de 1864. Peinture de F. Bonhommé.

Phot. Archives photographiques.

Cependant, à partir de 1860, l'empereur pensa à manifester plus résolument sa sympathie pour le monde ouvrier. À son instigation, un cercle, regroupant plusieurs saint-simoniens, dont Michel Chevalier, Guéroult, Arlès-Dufour, se réunit régulièrement dans la demeure du prince Jérôme au Palais-Royal. Le cercle du Palais-Royal publiait des brochures, généralement signées par des ouvriers, dans lesquelles s'exprimaient les nouvelles options du gouvernement. Destinées à rallier le prolétariat, ces œuvres de propagande rappelaient que l'empereur tenait son pouvoir du peuple français et laissaient entendre qu'il avait l'intention de modifier la législation contraignante pour les ouvriers.

À propos de l'Exposition universelle qui devait se tenir à Londres en 1862, le prince Jérôme proposa dans *l'Opinion nationale*, organe du cercle, qu'une délégation ouvrière fût envoyée à Londres. À la suite d'une lettre adressée au journal par un ouvrier ciseleur, Tolain, on confia à ce dernier le soin d'organiser ce voyage d'information. Avec l'autorisation de l'empereur, deux cents travailleurs, élus dans les grandes villes et représentant les différents corps de métier, se rendirent à Londres du 19 juillet au 15 octobre 1862, leurs frais étant pris en charge par le gouvernement et certains industriels saint-simoniens.

À l'aube du syndicalisme. À Londres, Tolain et ses compagnons découvrirent un monde ouvrier bien différent de celui qu'ils connaissaient en France. Mieux payés et jouissant de conditions de vie supérieures, les Anglais avaient surtout l'avantage de posséder des syndicats déjà fortement constitués. À leur retour, les délégations françaises publièrent des rapports sur leur voyage et, dans ces cahiers de doléances publiés sous le patronage impérial, demandèrent les libertés d'association, de coalition et de réunion, à l'image des Trade Unions britanniques.

Le climat général était favorable à leurs revendications. En mars 1862, une grève particulièrement dure avait éclaté chez les ouvriers typographes et les meneurs de cette grève, lourdement condamnés, furent graciés par Napoléon III. Cette attitude nouvelle incita les ouvriers français à accentuer leurs pressions pour faire valoir leurs droits. Aux élections de 1863, puis à celles complémentaires de 1864, des militants ouvriers présentèrent symboliquement leur candidature. Le 17 février 1864, soixante ouvriers parisiens, dans un manifeste rédigé par leur porte-parole Tolain, réclamaient d'être représentés au Corps législatif.

Le 25 mai 1864, une loi, dont le rapporteur fut Émile Ollivier, supprima le délit de grève et autorisa les coalitions. La même année, à Londres, était créée l'Association internationale des travailleurs, et Tolain ouvrit à Paris la première section française de cette association. De nombreuses mesures témoignèrent de la tolérance que le pouvoir impérial manifesta pendant cette période à l'égard des mouvements ouvriers. Cependant, Napoléon III ne tira pas les bénéfices qu'il escomptait de son attitude : de mieux en mieux organisés, les ouvriers profitèrent de leurs nouveaux droits pour multiplier les grèves et pour s'en prendre dans leurs associations au régime impérial. De sociale, la lutte devenait politique, et la section française de l'Internationale fut dissoute en 1868.

Le droit d'adresse. La libéralisation du régime se manifesta aussi dans le geste que fit l'empereur en direction du Corps législatif. En novembre 1860, un décret, complété par un sénatus-consulte de février 1861, rétablit le droit d'adresse. À l'ouverture de chaque session parlementaire, en réponse au discours du trône, le Corps législatif et le Sénat pouvaient dorénavant rédiger une adresse dans laquelle, une fois par an, ils discutaient les projets du gouvernement. Les débats parlementaires, qui, jusqu'en 1860, n'étaient pas publiés, parurent dans *le Moniteur.* Enfin,

Fondation de l'Association internationale des travailleurs à Londres en 1864. À l'instigation de Karl Marx, la Ire Internationale fut créée, sous ce nom, pour accomplir « l'émancipation des ouvriers ».
Phot. A.P.N.

Ouverture de la session parlementaire de 1859. Napoléon III avait une profonde aversion contre le parlementarisme et s'était employé dans sa Constitution à réduire au maximum les attributions du Corps législatif et du Sénat. Le droit d'adresse accorda à ces derniers plus de pouvoirs. Peinture de Jacques David, musée Carnavalet.
Phot. Dubout, archives Tallandier.

des ministres sans portefeuille, Baroche, Billault et Magne, vinrent présenter aux députés les projets de loi. Le droit d'adresse ne constituait qu'une réforme timide qui était bien loin d'instituer le parlementarisme. Cependant, dès la première adresse en mars 1861, près de la moitié des députés et des sénateurs profitèrent de leurs nouveaux droits pour critiquer la politique italienne menée par la France.

En novembre 1861, *le Moniteur* publia une lettre de Fould fort critique à l'égard des dépenses engagées par la France. En réponse, Napoléon III nomma Fould ministre des Finances, et un sénatus-consulte reprit les termes de la réforme conseillée. Les crédits supplémentaires ne pouvaient plus être discutés par le gouvernement seul, mais devaient être soumis au vote préalable du Corps législatif. De plus, le budget n'était plus voté par ministère, mais par section. Une nouvelle arme était ainsi donnée aux parlementaires.

Les initiatives de l'empereur permirent une ouverture de la vie politique. Cependant, opposants ou partisans du pouvoir impérial avaient du mal à percevoir l'intention profonde de Napoléon III, qui libéralisait les discussions du Corps législatif tout en conservant l'autorité absolue dans tous les autres domaines. L'incohérence latente de cette nouvelle politique gouvernementale fut soulignée par Émile Ollivier faisant constater à Morny : « De ce jour, vous êtes fondés ou perdus. Vous êtes fondés, si c'est un commencement ; perdus, si c'est une fin. »

La montée des oppositions.
Les nouvelles mesures prises par Napoléon III pour augmenter les droits du Corps législatif réveillèrent la vie politique, et les élections pour le renouvellement des députés en mai

Monseigneur Dupanloup. L'Empire avait bénéficié à ses débuts de l'appui sans réserve du clergé auquel l'empereur, malgré son absence de convictions religieuses, avait accordé de nombreux avantages, ce qui donna à l'Église catholique une expansion importante. L'évêque d'Orléans, Mgr Dupanloup, profita de ces circonstances pour lancer des campagnes de rechristianisation de son diocèse. Mais ses idées libérales l'éloignèrent du pouvoir, et son élection à l'Académie française fut considérée comme une victoire de l'opposition.
Phot. Franck.

La fête au village. Dans chaque département, un rôle essentiel était joué par le préfet, qui ne se contentait pas de présider aux festivités campagnardes, mais était devenu le représentant du gouvernement. Chargé de nommer les titulaires de 26 emplois départementaux, disposant de la tutelle sur les collectivités locales, le préfet assurait aussi le succès des candidats officiels aux élections et se comportait dans sa circonscription comme un véritable empereur au petit pied. Peinture de Joseph Navlet, château de Compiègne.
Phot. Lauros-Giraudon

1863 témoignèrent de ce renouveau. Pendant les mois qui précédèrent les élections, la classe politique fut en effervescence, des alliances inattendues se nouèrent, des tractations rapprochèrent ou éloignèrent les amis ou les ennemis de la veille. Au sein même de la majorité gouvernementale, les catholiques prirent leurs distances à l'égard de la politique impériale, appuyés par les évêques, qui, sous la plume de Mgr Dupanloup, engagèrent les électeurs à voter pour les candidats « catholiques », c'est-à-dire ceux qui se prononçaient pour la protection du Saint-Siège.

Du côté de l'opposition, on vit se manifester de multiples tendances que représentèrent plus de trois cents candidats. Légitimistes, orléanistes, libéraux, républicains s'engagèrent en grand nombre dans la lutte électorale. Certains tentèrent de réunir leurs forces en présentant des candidats communs et en jetant les bases d'une Union libérale, regroupant des hommes aussi différents que Thiers, Monta-

Le duc de Morny. Malgré les hésitations de son demi-frère, Morny ne cessa de le pousser à accorder plus de liberté aux députés, car il était conscient que, pour subsister, l'Empire avait besoin de se concilier de nouveaux alliés. Mais Morny mourut en 1865 et fut remplacé par Rouher, partisan de méthodes plus autoritaires. Coll. Sirot. *Phot. Tallandier.*

Le conseil des ministres à Saint-Cloud. Napoléon III présidait deux fois par semaine le conseil des ministres auquel assistait l'impératrice, désireuse, depuis la naissance du prince impérial, de jouer un rôle politique. L'empereur assistait, impassible, aux exposés techniques que faisaient les ministres, mais il était seul à prendre les décisions et consultait rarement ses collaborateurs. *Phot. B.N.*

lembert ou le républicain Jules Simon. Inquiet devant cette coalition des forces libérales, qu'il qualifia d'« immorale », Persigny, alors ministre de l'Intérieur, redoubla les mesures destinées à favoriser les candidats officiels et, dans une ultime tentative, modifia le découpage des circonscriptions électorales.

Le résultat du vote, malgré toutes les précautions de Persigny, allait être une déception pour le pouvoir impérial. Près de deux millions de voix, soit trois fois plus qu'aux élections de 1857, se portèrent sur les candidats de l'opposition qui, au nombre de trente-deux, entrèrent au Corps législatif. Les neuf sièges de Paris furent remportés par huit républicains et par Thiers. Les mesures libérales, par lesquelles Napoléon III avait voulu rallier une plus grande partie de l'opinion publique, avaient eu des résultats contraires à son attente. Dans

son mécontentement, l'empereur élimina ceux qu'il estimait responsables de l'échec des élections : Persigny fut limogé, mais, en guise de consolation, il devint duc, et un remaniement ministériel écarta Walewski et Rouland. Les trois ministres sans portefeuille furent remplacés par un ministre d'État, porte-parole de l'empereur devant l'Assemblée. Billault fut nommé à ce poste, mais sa mort en octobre 1863 obligea Napoléon III à choisir un nouveau ministre d'État. Ce fut Rouher, un travailleur obstiné, mais sans grande envergure et dont le tempérament autoritaire manquait de la souplesse nécessaire pour faciliter les rapports avec les députés.

Le Tiers Parti. Le nouveau Corps législatif élu en 1863 manifesta rapidement des velléités d'opposition. À droite comme à gauche, des mouvements se dessinèrent en faveur d'un développement du parlementarisme. Jusqu'à sa mort en 1865, Morny, président du Corps législatif, déploya toute sa diplomatie pour réduire ces conflits, persuadé qu'il était urgent de satisfaire les forces de la démocratie, si l'empereur ne voulait pas être emporté par elles. Sa disparition prématurée contraria ce passage en douceur de l'Empire autoritaire à l'Empire libéral. Le projet de « ministère de fusion », dans lequel il avait songé unir les différentes familles politiques, disparut avec lui.

Les manifestations les plus marquantes de l'opposition venaient de la droite, dont le mécontentement à l'égard de l'empereur ne désarmait pas. Ces opposants, regroupant les catholiques et les industriels, allaient se rapprocher des orléanistes et de leur chef Thiers. Celui-ci fit sa rentrée parlementaire en prononçant le 11 janvier 1864 un discours retentissant réclamant les « libertés nécessaires ». Pour l'ancien ministre de Louis-Philippe, il fallait franchir « le cap des Tempêtes » et accorder au pays les « cinq sœurs », liberté individuelle, liberté de la presse, liberté des élections, liberté de la représentation nationale, enfin liberté parlementaire, afin que « l'opinion publique devienne la directrice de la marche du gouvernement ».

Une nouvelle tendance se dessina au sein de l'Assemblée, regroupant des bonapartistes, quelques orléanistes et des républicains libéraux et dirigée par Émile Ollivier. À mi-chemin entre les républicains sectaires et les inconditionnels de l'Empire, ce Tiers Parti, tout en se prononçant pour le maintien de l'Empire, demandait des réformes permettant à la représentation nationale de s'exprimer davantage. Entre Émile Ollivier, porte-parole du Tiers Parti, et Rouher, qui voulait abandonner la voie libérale dans laquelle s'était engagé Morny, la lutte était inévitable. En mars 1866, soixante-trois députés du Tiers Parti votaient un amendement souhaitant que

Thiers. L'ancien ministre de Louis-Philippe devint à partir de 1864 le chef de l'opposition orléaniste. Caricature de Gill, bibliothèque des Arts décoratifs.
Phot. Lauros-Giraudon.

soit accordé « tout son développement au grand acte de 1860 », c'est-à-dire au droit d'adresse, encore trop insuffisant à leur avis.

De nouvelles concessions. L'empereur se rendait compte que ses mesures de libéralisation avaient donné plus de force à l'opposition. Tiraillé entre les influences contradictoires de son entourage, de plus en plus atteint par la maladie qui émoussait ses facultés, Napoléon III menait une politique hésitante, tantôt revenant à l'autoritarisme des premières années de son règne, tantôt écoutant avec sympathie ceux qui lui conseillaient d'assouplir le régime. Les difficultés que rencontrait sa politique étrangère, la désastreuse expédition du Mexique, l'échec diplomatique essuyé lors du conflit entre la Prusse et l'Autriche et l'évacuation des troupes françaises de Rome en 1866 alimentaient les critiques à l'égard du pouvoir. La prospérité économique elle-même semblait en perte de vitesse, mise en péril par de mauvaises récoltes et la menace que faisait subir aux industries textiles la guerre de Sécession, qui privait la France du coton américain. Des faillites financières,

celle de Mirès et surtout celle des frères Pereire, contraints d'abandonner le Crédit mobilier, contribuaient à entretenir l'inquiétude.

Après avoir soutenu Rouher et s'être refusé aux concessions, Napoléon III changea brusquement de politique et, sur le conseil de Walewski et de Persigny, songea à se tourner vers les libéraux. À cet effet, il eut plusieurs entretiens en janvier 1867 avec Émile Ollivier, auquel il alla même jusqu'à proposer un ministère, ce que le député refusa tout en promettant son concours à l'empereur. Le 19 janvier 1867, dans une lettre publiée par *le Moniteur*, Napoléon III annonça un nouveau train de mesures libérales sur les droits d'adresse, de la presse et de réunion.

Le 31 janvier, un premier décret concrétisa les promesses de l'empereur : l'adresse fut remplacée par l'interpellation permettant aux députés de discuter les projets du gouvernement non plus une fois par an, mais autant de fois dans l'année qu'ils le désiraient. Un sénatus-consulte, peu après, augmenta les pouvoirs du Sénat, l'autorisant à renvoyer un projet de loi devant le Corps législatif. Les autres promesses de la lettre de Napoléon III ne

furent réalisées qu'un an plus tard. En mai 1868, la loi libéralisant la presse put enfin être votée, le projet étant l'objet d'attaques à la fois de l'opposition le jugeant trop timide et des conservateurs pensant qu'il était trop libéral. Ce fut Rouher lui-même qui, tout en réprouvant l'esprit de la loi, la défendit à contrecœur. L'autorisation préalable était supprimée ainsi que les avertissements, et les délits de presse ne relevaient plus que des tribunaux correctionnels. Cependant, le cautionnement était maintenu. Un mois plus tard,

L'église de la Madeleine à Paris. Malgré le ralliement du clergé au régime impérial au début du second Empire, l'attitude défavorable de Napoléon III à l'égard des intérêts temporels de la papauté contribua à faire naître une irritation croissante chez les catholiques, et les évêques ne manquèrent pas de dénoncer la politique impériale. Lithographie de Philippe Benoist, musée Carnavalet.
Phot. Lauros-Giraudon.

Le pèlerinage de Lourdes. Les apparitions de la Vierge à Bernadette Soubirous en 1858 avaient transformé la petite ville pyrénéenne et sa source miraculeuse en un lieu de pèlerinage fort fréquenté. Dessin de P. Miranda dans *l'Illustration*.
Phot. Archives photographiques Larousse.

une loi rétablissait la liberté de réunion ; en fait, seules les assemblées où étaient discutées des questions touchant à l'industrie, à l'agriculture ou à la littérature étaient dispensées de l'autorisation préalable. Tout sujet politique ou religieux était interdit. Ce fut donc une loi qui, loin de satisfaire les libéraux, ne fit en réalité qu'augmenter leur mécontentement.

Napoléon III rencontra les mêmes difficultés tant au sein du Corps législatif que dans l'opinion publique pour faire adopter la réforme militaire préparée par le maréchal Niel, nommé ministre de la Guerre en 1867. Les faiblesses numériques de l'armée française étaient apparues dès la campagne d'Italie. Le projet présenté par Niel était destiné à accroître les effectifs de cette armée en prévoyant l'appel de toute la classe et en constituant une Garde nationale mobile, une armée de seconde ligne regroupant ceux qui n'avaient pas fait de service actif et destinée à renforcer l'armée d'active. Mais, de remaniement en remaniement, la loi Niel, votée le 1er février 1868, ne conservait du projet initial que la formation de la Garde nationale mobile ; cependant, cette dernière ne sera, en réalité, même pas organisée.

Le refroidissement à l'égard des catholiques. La politique italienne de Napoléon III avait fortement indisposé les milieux catholiques. Ce n'était pas véritablement la rupture, mais un raidissement des positions de part et d'autre. Tous les évêques n'avaient pas la virulence d'un Mgr Pie ou d'un Mgr Dupanloup, mais le mécontentement était de mise

dans le clergé, qui exprimait son émotion devant les menaces qui atteignaient le pouvoir temporel du pape.

À l'ultramontanisme des catholiques français, le gouvernement répondit par la politique gallicane menée par Rouland, ministre des Cultes de 1856 à 1863. La presse catholique, dans laquelle s'expri-maient les ultramontains, fut étroitement surveillée, censurée, et le plus prestigieux des journaux catholiques, *l'Univers,* fut supprimé en 1860. La Société de Saint-Vincent-de-Paul, qui regroupait des laïcs dans 1 500 associations locales consa-crées au service des pauvres, reçut en 1861 l'ordre du ministre de l'Intérieur, Per-signy, d'accepter un président nommé par l'empereur. Sur le refus de la Société, cette dernière fut supprimée.

Napoléon III prit aussi ses distances par rapport aux catholiques en modifiant la politique scolaire rigide instaurée par For-toul. En 1863, il nomma ministre de l'Ins-truction publique Victor Duruy qui, pendant

six ans, allait tenter d'organiser un système d'éducation moderne. Ce spécialiste de l'histoire romaine, qui conseillait l'empereur dans la rédaction de sa *Vie de Jules César,* voulut jeter les bases d'un enseignement libéré de l'influence de la religion et réviser les données de la loi Falloux. Il accomplit à cet égard des réformes importantes. Constatant que près d'un quart des enfants d'âge scolaire ne fréquentaient pas l'école, il projeta avec la collaboration d'Octave Gréard, directeur de l'Instruction primaire de la Seine, de constituer un enseignement primaire gratuit et obligatoire. L'hostilité rencontrée l'obligea à renoncer à ce plan, mais il parvint cependant à créer de nombreuses écoles primaires dans lesquelles enseignaient des instituteurs laïcs. Pour lutter contre l'analphabétisme, Victor Duruy s'intéressa particulièrement à l'éducation des adultes pour lesquels on multiplia les cours du soir.

Victor Duruy avait aussi voulu que l'enseignement s'ouvrît aux matières modernes, telles les langues vivantes ou l'éducation technique spécialisée. On rétablit les cours d'histoire contemporaine et de philosophie dans les collèges. Ce qui irrita le plus les catholiques, ce fut la création de cours secondaires pour les jeunes filles. Jusque-là, seules les congrégations religieuses avaient le monopole de l'enseignement féminin. Victor Duruy organisa dans les facultés d'une quarantaine de villes des cours ouverts aux jeunes filles de la bourgeoisie et ne comportant pas d'enseignement des langues anciennes. Pour l'exemple, l'impératrice, malgré ses convictions religieuses, envoya ses nièces suivre les cours donnés à la Sorbonne. Mais cela ne suffit pas à convaincre la bourgeoisie, qui continua à envoyer ses filles dans les pensionnats religieux, seuls capables d'enseigner les « bonnes manières ».

Une école de petites orphelines. Les religieuses avaient l'apanage de l'enseignement féminin, que ce soit dans les humbles écoles de campagne ou dans les pensionnats réputés fréquentés par les jeunes filles de la bonne société. Il ne venait à l'idée de personne que l'on pouvait élever les petites filles ailleurs que « sur les genoux de l'Église ». Peinture de François Bonvin, musée Saint-Didier, Langres.
Phot. Lauros-Giraudon.

Victor Duruy. De 1863 à 1869, cet intellectuel eut l'ambition de moderniser l'éducation française et lança l'idée d'un enseignement primaire, obligatoire et gratuit, annonçant ainsi les grandes réformes de Jules Ferry. Ses tentatives pour enlever le monopole de l'enseignement féminin aux congrégations religieuses se heurtèrent à l'incompréhension et à la fureur des catholiques.
Phot. Pierre Petit.

Illustration de *la Fortune de Gaspard,* de la comtesse de Ségur. Dans ses célèbres romans pour la jeunesse, la « bonne comtesse » a donné une image fidèle de la société du second Empire. Gravure de Gerlier.
Phot. Lauros-Giraudon.

Le Salon des refusés.

En 1863, un scandale retentissant agita les milieux mondains et artistiques de Paris. Napoléon III avait autorisé qu'en marge du Salon officiel de la peinture se tînt un « Salon des refusés », regroupant les quatre mille toiles que le jury n'avait pas estimées dignes de la consécration officielle. Parmi ces peintures, une attirait particulièrement les regards : les badauds s'attroupaient et commentaient avec ironie ou indignation la toile d'Édouard Manet, *le Déjeuner sur l'herbe*. Deux ans plus tard, l'*Olympia* du même Manet déchaîna encore plus d'insultes et le corps blanc de la petite Vénus des Batignolles fut considéré comme une provocation intolérable par les amateurs des « peintres pompiers » chers à la bourgeoisie.

Manet n'avait pas été le premier à subir les railleries du public et des critiques. Dans cette seconde moitié du XIXe siècle, le romantisme s'essoufflait et de nombreuses réactions se dessinaient contre lui. Si la simplicité bucolique et dépouillée des scènes paysannes de Millet ralliaient

Les Demoiselles des bords de la Seine. Comme les femmes damnées de Baudelaire, les demoiselles de Courbet étaient trop sulfureuses pour ne pas susciter l'indignation de la critique conventionnelle. Peinture de Courbet, Petit Palais, Paris. *Phot. Lauros-Giraudon.*

Le Déjeuner sur l'herbe. Cette dame toute nue entourée d'hommes habillés de noir provoqua un scandale retentissant au Salon des refusés de 1863. Peinture d'Édouard Manet, musée d'Orsay, Paris. *Phot. Lauros-Giraudon.*

les suffrages, la violence crue d'un Courbet passait pour un défi et son *Enterrement à Ornans* provoqua un véritable scandale. Le public, habitué aux œuvres conventionnelles et reposantes d'un Winterhalter ou d'un Flandrin, n'était pas préparé à comprendre et à accepter le réalisme acerbe de Courbet ou l'« impressionnisme » de Manet. De même s'en prit-il avec passion à la sculpture frémissante de Carpeaux, dont le groupe *la Danse,* destiné à orner la façade de l'Opéra, passa pour une « faute de goût ». Un vandale alla même jusqu'à jeter une bouteille d'encre sur

Le *Balcon*, par Édouard Manet. En quelques années, la France allait connaître un renouvellement spectaculaire des conceptions picturales grâce à toute une génération de jeunes peintres qui surent braver les railleries pour imposer leur vision de l'art. Manet fut un des premiers à rompre avec l'académisme à la mode et à oser peindre des scènes prises sur le vif. Musée d'Orsay, Paris.
Phot. Lauros-Giraudon.

Un atelier aux Batignolles. Renoir, Bazille, Émile Zola entourent Manet en train de peindre. Les nouveaux artistes, solidaires par les luttes qu'ils durent mener contre la critique, discutaient de leurs expériences pour simplifier leur palette de couleurs et trouver le moyen de rendre par la peinture les impressions ressenties tout en abandonnant les sujets héroïques, édifiants ou mythologiques. Peinture d'Henri Fantin-Latour, musée d'Orsay, Paris.
Phot. Lauros-Giraudon.

cette sculpture à l'exubérance scanda-
leuse.

Dans tous les domaines artistiques, la
même résistance se manifesta contre les
nouveautés dérangeantes. Si, à l'Opéra,
Auber, Meyerbeer ou Gounod remportaient
des triomphes, Berlioz ne parvint jamais à
faire admettre ses conceptions musicales.
Mais toutes ces œuvres, révolutionnaires
au moment de leur apparition, traduisaient
le profond mouvement des idées et des arts
transparaissant sous le tourbillon superfi-
ciel de la fête impériale.

**Baudelaire aux côtés de
Sainte-Beuve, Henry Mur-
ger, Victor Massé et Bar-
bey d'Aurevilly.** Le poète
scandaleux des amants mau-
dits, du vin et des paradis
artificiels annonçait le sym-
bolisme par sa vision
du monde qu'évoquent les
correspondances mystérieu-
ses entre les couleurs, les
sonorités et les parfums.
Détail du « Panorama du siècle » d'A. Stevens et H. Ger-
vex, coll. G. Blaizot.
Phot. Lauros-Giraudon.

page suivante :
***Les Musiciens à l'orches-
tre,*** **par Degas.** La révolution musicale fut plus lente
que celle de la peinture, et
les Parisiens, habitués au
classicisme de Bizet ou de
Gounod, sifflèrent bruyam-
ment le *Tannhaüser,* de
Wagner, qu'avait voulu leur
faire apprécier la princesse
de Metternich. Musée d'Orsay, Paris.
Phot. Giraudon.

LE PRESTIGE MILITAIRE semblait indispensable à un régime dont le succès devait beaucoup à la tradition napoléonienne, et l'empereur voulait jouer un rôle d'arbitre aussi bien en Europe que dans la lointaine Amérique et l'Extrême-Orient inconnu. Mais, si les expéditions de Crimée et d'Italie avaient pu satisfaire le désir de gloire qui sommeillait chez beaucoup de Français, les projets chimériques de Napoléon III, ses maladresses diplomatiques allaient à partir de 1860 placer la France dans des situations de plus en plus périlleuses, de plus en plus lourdes de menaces.

L'empereur provoqua tout d'abord le mécontentement de l'Angleterre en s'immisçant dans les troubles qui éclatèrent au Levant en 1860. Les musulmans druzes descendirent de leurs montagnes pour massacrer les chrétiens maronites de Syrie et, pendant trois jours, en juillet 1860, dévastèrent le quartier chrétien de Damas. Seule l'intervention d'Abd el-Kader, se souvenant qu'il devait la liberté à Napoléon III, sauva de la mort près de 1 500 chrétiens français, qu'il accueillit dans son palais. Traditionnellement, la France se considérait comme la protectrice des chrétiens du Levant, et l'empereur vit dans cette affaire une occasion de satisfaire les catholiques français, irrités par l'expédition en Italie. Aussi, avec l'accord des puissances européennes, envoya-t-il en Syrie un corps expéditionnaire français qui débarqua au mois d'août et trouva le calme revenu. Cependant, l'Angleterre avait vu d'un fort mauvais œil l'engagement de la France dans une région où elle-même avait de puissants intérêts, et la reine Victoria qualifia Napoléon III de « perturbateur universel ».

La question polonaise, de son côté, refroidit les relations entre la France et la Russie. Lorsque les nationaux polonais se révoltèrent en 1863 contre l'oppression russe, ils comptaient trouver un soutien chez les Français qu'ils savaient attachés à leur cause, mais Napoléon III se contenta d'envoyer à Saint-Pétersbourg des notes diplomatiques parfaitement inefficaces. Déjà indisposé par cette intervention, le tsar Alexandre II trouva une nouvelle source de mécontentement dans les incidents qui marquèrent sa visite à l'Exposition universelle de 1867. Il fut fort irrité par le cri « Vive la Pologne ! » lancé par un avocat au cours d'une cérémonie au Palais de Justice. Puis, lors de la revue militaire offerte aux souverains étrangers, un Polonais tenta d'assassiner Alexandre II. Ce dernier, bien qu'ayant échappé à l'attentat, en conçut à l'égard du gouvernement une vive amertume qui influencera son attitude en 1870.

1862-1867
La guerre du Mexique

Mais, sans conteste, ce fut l'affaire romaine qui contribua le plus à cristalliser les mécontentements à l'égard de l'Empire, aussi bien à l'intérieur du pays que parmi les nations européennes. En septembre 1860, les Piémontais, dans leur marche vers la réalisation de l'unité italienne, battirent à Castelfidardo l'armée pontificale réorganisée par Lamoricière, et le nouveau royaume d'Italie intégra les possessions du pape, à l'exception de Rome. Napoléon III maintint une garnison française dans la Ville sainte pour protéger le souverain pontife et tenta vainement de faire entendre raison à Victor-Emmanuel II, qui voyait en Rome la capitale du nouveau royaume. Après plusieurs tentatives vouées à l'échec, il s'engagea enfin, par la convention de septembre 1864, à évacuer la ville dans un délai de deux ans et obtint du roi d'Italie la promesse qu'il défendrait le territoire pontifical contre toute attaque et qu'il renoncerait à s'établir à Rome. En décembre 1866, les troupes françaises étaient rappelées, mais, moins d'un an plus tard, à la tête de volontaires italiens, Garibaldi pénétrait dans Rome. Poussé par l'opinion catholique française, Napoléon III envoya en toute hâte une division qui battit les garibaldiens à Mentana le 3 novembre 1867. Tandis que Rouher déclarait au Corps législatif : « Jamais l'Italie n'entrera dans Rome », les Italiens s'indignaient : « Mentana a tué Magenta. » Alors que la France avait été le principal allié du Piémont dans sa lutte pour l'indépendance, elle constituait maintenant un obstacle pour la conclusion de l'unité italienne, et les relations entre les deux pays s'en ressentirent. Les maladresses de Napoléon III, lors de l'expédition du Mexique et de la guerre austro-prussienne, ne firent qu'augmenter l'isolement de la France au milieu des puissances européennes.

Volontaires en marche au Mexique. Le rêve qu'avait caressé Napoléon III de faire du Mexique un grand État latin capable de concurrencer les États-Unis fut brisé par les réalités d'une expédition difficile, dans un pays au climat éprouvant, qui fit des ravages dans les rangs des troupes françaises. Peinture de Charles Lahalle, musée royal de l'Armée, Bruxelles.
Phot. Patrick Lorette.

102, 1862-1867 LA GUERRE DU MEXIQUE.

DANS LES PROJETS chimériques de Napoléon III, l'Amérique occupait depuis longtemps une place à part. Pendant sa captivité au fort de Ham, il avait élaboré un projet de canal unissant, dans « un mariage mystique entre l'Est et l'Ouest », l'Atlantique au Pacifique et, pour contrebalancer la puissance des États-Unis, il avait rêvé de favoriser la création d'un grand État d'Amérique latine. Les affaires mexicaines lui fournirent l'occasion qu'il recherchait pour réaliser ses desseins utopiques.

Depuis la proclamation de la république au Mexique en 1824, le pays était déchiré par des guerres civiles sans cesse renouvelées qui opposaient les conservateurs catholiques aux libéraux. Ces derniers, vainqueurs en 1858, amenèrent au pouvoir le président Juárez, dont la politique délibérément anticléricale mécontenta les catholi-

ques français établis au Mexique. Leurs plaintes, transmises par le chargé d'affaires de la France à Mexico, Dubois de Saligny, émurent l'opinion publique française. L'affaire s'aggrava lorsque, incapable de redresser une situation financière catastrophique, Juárez décida en 1861 de ne plus reconnaître les dettes extérieures de son pays. À leur tour, les hommes d'affaires européens qui avaient des intérêts au Mexique commencèrent à s'inquiéter.

Des Européens au Mexique. Napoléon III vit dans une intervention au Mexique la possibilité de satisfaire les catholiques français et de faire passer au second plan l'affaire romaine. L'impératrice Eugénie elle-même, influencée par un jeune Mexicain émigré, Hidalgo, qu'elle avait autrefois connu à Madrid, rêvait d'installer

au Mexique une monarchie catholique qui se dresserait face aux États-Unis protestants. De son côté, Morny poussait son demi-frère à agir au Mexique, mais ses motifs étaient loin d'être désintéressés : un banquier suisse, Jecker, qui avait prêté en 1859 des sommes importantes au gouvernement mexicain et ne pouvait recouvrer son argent, lui avait promis de lui verser 30 p.100 des créances, s'il pouvait récupérer celles-ci. L'influence de l'impératrice et de Morny, si elle ne fut pas prépondérante, constitua cependant un argument supplémentaire pour convaincre Napoléon III de s'engager dans l'aventure mexicaine.

Les circonstances étaient particulièrement favorables pour une intervention au Mexique. La guerre de Sécession empêchait les États-Unis de s'opposer à une action des Européens en Amérique cen-

Les engagements extérieurs

...oléon III et Eugénie 1862. Le souverain çais, en butte à l'op... tion des libéraux et au ...ontentement des catho... ...s irrités par la question ...aine, pensa qu'une inter... ...ion au Mexique lui per... ...rait de retrouver son ...tige. De son côté, l'im... ...trice s'était enthousias... ... pour la cause mexi... ...e et, prise par son rêve ...estaurer un catholicisme triomphant en Amérique, elle s'entêta à convaincre son mari de la nécessité de rétablir au Mexique une monarchie catholique. Ce fut elle aussi qui, avec la complicité de la princesse de Metternich, suggéra de placer sur le trône mexicain l'archiduc Maximilien de Habsbourg. Phot. Disdéri, B. N., cabinet des Estampes.
Phot. B. N.

Réparation faite par les autorités de Tampico aux Français et aux Anglais (février 1859). Les Européens installés au Mexique avaient de nombreux sujets de mécontentement, ce qui poussa l'Angleterre, la France et l'Espagne à envisager une expédition dans ce pays.
Phot. Larousse.

Benito Juárez. Cet avocat d'origine indienne établit son pouvoir sur le Mexique en 1860 et décida de suspendre | le paiement de la dette extérieure. Musée national d'Histoire, Mexico. | *Phot. Giraudon.*

trale. Aussi Napoléon III n'eut-il pas trop de peine, à l'automne de 1861, à convaincre l'Angleterre et l'Espagne, également intéressées par le recouvrement des dettes mexicaines, de se joindre à la France pour débarquer au Mexique. Les contingents alliés, arrivés à Veracruz à la fin de l'année 1861, ne trouvèrent pas chez les opposants au régime de Juárez l'appui sur lequel ils comptaient. Peu disposés à se lancer dans une expédition incertaine dans un pays mal connu, les Espagnols ne tardèrent pas à signer en février 1862 les accords de la Soledad avec les autorités mexicaines et se rembarquèrent pour l'Europe, ainsi que les Anglais, en avril.

« La plus grande pensée du règne ».

Quant à Napoléon III, au lieu de s'aligner sur les décisions de ses alliés, il maintint le corps expéditionnaire français au Mexique et le renforça par de nouvelles troupes placées sous les ordres du général Lorencez. Persuadé par l'impératrice et par ses conseillers qu'il allait réaliser « la plus grande pensée du règne », l'empereur s'obstina à poursuivre une expédition qui renforcerait, croyait-il, les intérêts de la France en Amérique. Pour régner sur le grand empire latin qu'il rêvait d'établir au Mexique, il avait déjà un candidat, l'archiduc Maximilien de Habsbourg, frère de l'empereur François-Joseph. Cette candidature présentait l'avantage de resserrer les liens entre l'Autriche et la France, et Napoléon III estimait qu'il lui serait facile, une fois qu'il aurait fait de Maximilien l'empereur du Mexique, de demander à l'Autriche de céder la Vénétie au royaume d'Italie.

En mai 1862, 6 000 soldats français entreprirent de marcher vers Mexico. Leur progression dans une région au climat particulièrement éprouvant était gênée par les attaques incessantes des guérilleros et ils furent arrêtés par la résistance de 1 200 juaristes enfermés dans la forteresse de Puebla. Mais cet échec ne découragea pas Napoléon III : 23 000 hommes de renfort, placés sous le commandement du général Forey, entamèrent en mars 1863 une nouvelle expédition en direction de Mexico. Le 30 avril, une poignée de 62 hommes de la Légion étrangère, entraînés par leur chef, le capitaine Danjou, protégea par son courage la marche des convois militaires : dans le village de Camerone, pendant neuf heures, ils résistèrent à l'attaque de 2 000 Mexicains. À l'issue du combat, il ne restait plus que 3 survivants parmi les légionnaires, mais leur héroïsme avait permis aux convois de continuer leur marche.

Puebla « l'orgueilleuse », une nouvelle fois assiégée, fut enfin prise par les hommes du général Forey et, le 10 juin 1863, les Français entraient dans Mexico, qui avait capitulé sans combat. Alors que Napo-

Prise de Puebla en mai 1863. Après avoir traversé les inhospitalières Terres chaudes et avoir affronté à maintes reprises les guérilleros mexicains, Forey et ses hommes parvinrent enfin devant la citadelle de Puebla, qui, l'année précédente, avait arrêté la marche de Lorencez. Il fallut un siège de plus de trois mois pour faire tomber cette forteresse défendue par une petite troupe de juaristes. Lithographie de Victor Adam, B. N., cabinet des Estampes.
Phot. B. N.

Arrivée du général Forey à Orizaba en 1863. Après l'échec de la première expédition française menée au Mexique en 1862 par Lorencez, Napoléon III envoya de nouvelles troupes placées sous le commandement du général Forey. Les Français étaient accompagnés de volontaires venus de plusieurs pays européens ainsi que de plusieurs compagnies de la Légion étrangère. Croquis de M. de Tugny.
Phot. Larousse.

Prise de fort San Xavier à Puebla. Au centre de la ville de Puebla, le pénitencier San Xavier constituait une forteresse défendue par d'épaisses murailles. Grâce au sacrifice des légionnaires du capitaine Danjou à Camerone, les Français purent recevoir les secours des convois d'approvisionnement venus de Veracruz et tenir ainsi jusqu'à la chute de la ville. Peinture de Beaucé, musée de Versailles.
Phot. Dubout, archives Tallandier.

léon III aurait souhaité soumettre au suffrage universel une nouvelle constitution
pour le Mexique, Forey constitua une
assemblée de notables mexicains qui proclama la monarchie et offrit la couronne du
nouvel empire à Maximilien.

Le « guêpier mexicain ». L'archiduc
autrichien hésita presque un an avant
d'accéder à la demande des Mexicains.
Cet esthète, au tempérament mélanco-
lique, préférait aux ambitions lointaines les
croisières à travers le monde, entrecou-
pées de séjours dans sa résidence de
Miramar au bord de l'Adriatique. Mais sa
femme, la princesse Charlotte, fille du roi
des Belges Léopold Ier, beaucoup plus
ambitieuse que lui, le pressa instamment
d'accepter cet empire qu'on lui offrait. De
son côté, Napoléon III assurait Maximilien
que les troupes françaises resteraient au
Mexique pour lui permettre d'affermir son
pouvoir. En avril 1864, l'archiduc céda
enfin, et les magnifiques cérémonies d'accueil que lui réservèrent les Mexicains
purent donner au nouvel empereur l'illusion
momentanée qu'il était désiré par l'ensemble du pays.

Cependant, l'arrivée de Maximilien ne
mit pas un terme à la lutte que menaient
les libéraux juaristes contre le corps expéditionnaire français. Le général Bazaine,
qui avait remplacé Forey, ne pouvait avec
ses 30 000 hommes contrôler un pays

quatre fois grand comme la France. Les guérilleros mexicains, utilisant leur parfaite connaissance des lieux, se révélaient insaisissables. À peine les Français s'étaient-ils rendus maîtres d'une ville qu'un nouveau foyer de résistance se déclarait ailleurs. Mal préparées à affronter les rigueurs climatiques du Mexique, décimées par les épidémies, les troupes françaises ne pouvaient triompher des partisans de Juárez.

Entrée des Français à Mexico le 10 juin 1863. Alors que les femmes et les enfants jettent des fleurs sous les pas des chevaux, le général Forey, à la tête du corps expéditionnaire, reçoit les clés de la ville que lui remettent les notables. Enthousiasmé par cette réception les Mexicains, Forey ne tint pas compte des instructions qu'il avait reçues et, sans consulter le pays au suffrage universel, il se contenta de s'en remettre à ces notables de Mexico, qui proclamèrent la monarchie. Peinture de Beaucé, château de Versailles.
Phot. Lauros-Giraudon.

Maximilien et Charlotte font leur entrée à Mexico le 12 juin 1864. Après plus d'un an d'hésitation, l'archiduc autrichien accepta la couronne du Mexique et fut accueilli avec faste par ses nouveaux sujets. Dessin paru dans *le Monde illustré.*
Phot. Larousse.

L'empereur Maximilien et l'impératrice Charlotte. Une fois passées les fêtes qui avaient marqué leur arrivée au Mexique, les nouveaux souverains durent vite affronter les désillusions. Pris dans l'engrenage des dettes extérieures, ne pouvant compter sur l'appui de Bazaine, Maximilien se trouvait de plus en plus isolé dans un pays qui ne l'avait jamais accepté. Phot. Ghémar, coll. privée.
Phot. Patrick Lorette.

Maximilien, de son côté, accumulait les maladresses dans ce Mexique qu'il voulait modeler à l'image des États européens. Pour gagner à sa cause les libéraux, il mécontenta les conservateurs catholiques et, par des mesures irréfléchies, se fit un ennemi du clergé mexicain. Ses tentatives pour redresser l'économie de son empire se soldèrent par un échec. De plus, dès 1865, ses relations devinrent difficiles avec le commandant des forces françaises, le général Bazaine. Ce dernier, marié à une jeune aristocrate mexicaine, songeait de plus en plus à évincer Maximilien et commença à traiter secrètement avec un des généraux de Juárez, Porfirio Díaz. En l'espace d'un an, le nouvel empereur avait perdu la plupart de ses soutiens.

L'exécution de Querétaro. Il devenait de plus en plus difficile à Napoléon III de justifier la présence française au Mexique. Le Corps législatif se montrait réticent à voter des crédits supplémentaires pour poursuivre des opérations militaires hasardeuses. Il était clair que Maximilien ne pourrait jamais réunir les fonds suffisants pour rembourser les dettes de son pays à l'égard de la France. L'opinion française, qui ne s'était jamais passionnée pour cette expédition lointaine, critiquait l'empereur de s'être laissé prendre dans le « guêpier mexicain ». Une intervention étrangère contribua à hâter les événements : la guerre

Soldats mexicains. Les guérilleros juaristes, grâce à leur connaissance du terrain, tinrent constamment les Français en échec. Phot. Aubert, musée royal de l'Armée, Bruxelles. *Phot. Patrick Lorette.*

Porfirio Diaz. D'origine métisse, Díaz fut l'un des principaux généraux de Juárez dans la lutte que celui-ci mena contre les troupes françaises. La guérilla devint plus farouche lorsqu'un décret d'octobre 1865, inspiré à Maximilien par Bazaine, décida l'exécution de tous les ennemis pris les armes à la main. Mais Bazaine, influencé par sa femme mexicaine et persuadé qu'il pouvait exercer seul le pouvoir au Mexique, se détacha de l'empereur Maximilien et se lança dans des combinaisons secrètes avec les juaristes. Phot. Aubert, musée royal de l'Armée, Bruxelles. *Phot. Patrick Lorette.*

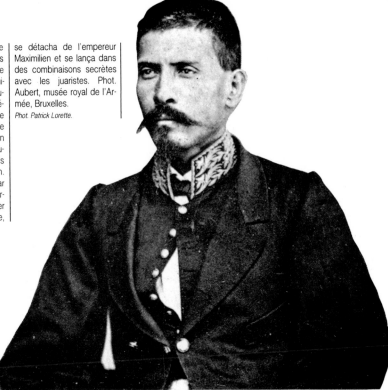

Le colonel français Dupin, chef de la contre-guérilla au Mexique. Le général Bazaine avait pleins pouvoirs à la fois sur le corps expéditionnaire français et sur l'armée mexicaine, qu'il réorganisa en lui donnant des chefs français dont beaucoup se mirent à la mode mexicaine, comme ce vieux colonel couvert de décorations. Phot. Aubert, musée royal de l'Armée, Bruxelles. *Phot. Patrick Lorette.*

Attaque d'une colonne française par des réguliers mexicains. La lutte continuait dans les provinces du Nord, et les colonnes légères envoyées par Bazaine ne purent venir à bout des guérilleros. Peinture de Beaucé, musée de l'Armée, Paris. *Phot. Larousse, musée de l'Armée.*

de Sécession avait pris fin après la capitulation des sudistes à Richmond en avril 1865 et les États-Unis, qui soutenaient secrètement Juárez, exigèrent le retrait des troupes françaises. Ils invoquaient, pour justifier leur ultimatum, la doctrine de Monroe selon laquelle toute intervention européenne en Amérique constituait une menace pour leur sécurité. Napoléon III, oubliant les promesses qu'il avait faites à Maximilien, avisa ce dernier au début de l'année 1866 qu'il avait résolu de retirer les troupes françaises du Mexique. L'impératrice Charlotte, venue à Paris supplier l'empereur, ne put entamer sa décision et la malheureuse femme sombra dans la folie.

En février 1867, les derniers Français quittèrent le Mexique. Abandonné de tous, Maximilien fut fait prisonnier par les juaristes. Le 19 juin, dans la petite ville de Querétaro, une salve mettait fin à la vie de cet archiduc autrichien venu se perdre dans une aventure qui le dépassait. La nouvelle de sa mort parvint à Paris au cours d'une fête donnée en l'honneur des souverains européens rassemblés pour l'Exposition universelle. Le prestige de Napoléon III sortait amoindri de l'expédition mexicaine, dont le passif était écrasant pour la France : elle avait perdu plus de 6 000 hommes et dépensé 336 millions de francs dans une affaire qui ne lui apportait aucun bénéfice.

L'impératrice Charlotte.
La jeune princesse de Belgique, petite-fille de Louis-Philippe, avait pesé lourd dans la décision que prit son mari d'accepter la couronne du Mexique et joua un rôle actif dans la politique de son nouveau pays. Alors que Napoléon III avait pris la décision de rappeler en France les troupes de Bazaine, l'impératrice Charlotte tenta en vain de rappeler au souverain français ses promesses. Elle perdit la raison avant l'exécution de son mari. Musée royal de l'armée, Bruxelles.
Phot. Patrick Lorette.

Bazaine quitte Mexico le 5 février 1867. Inquiet devant le risque d'entrée des États-Unis dans le conflit mexicain, Napoléon III décida de rapatrier les troupes françaises à partir de février 1867. L'opposition française allait s'emparer de l'échec du Mexique pour intensifier sa lutte contre l'empereur, qui avoua, dans un discours prononcé à Lille : « Des points noirs assombrissent l'horizon, nous avons eu des revers. » B. N.

Phot. H. Roger-Viollet.

Exécution de Maximilien. Pour ce tableau peint quelques mois après l'exécution de Querétaro, Manet s'est inspiré de Goya. Entouré des généraux Miramon et Méjia, fusillés en même temps que lui, l'infortuné souverain tombe sous les balles des partisans de Juárez. C'était l'écroulement du rêve mexicain. Peinture d'Édouard Manet, musée de Mannheim.

Phot. Tallandier.

L'entrevue de Biarritz. Alors qu'une partie de l'armée française s'engluait sans espoir dans la désastreuse aventure mexicaine, Napoléon III se montrait incapable de jouer, comme il le voulait, le rôle d'arbitre entre la Prusse et l'Autriche. Le nouveau chancelier prussien Bismarck avait entrepris de réaliser l'unité allemande et de former une confédération des États allemands placée sous la direction de la Prusse. Pour cela, il lui fallait réduire la puissance autrichienne. L'affaire des trois duchés danois dont la Prusse et l'Autriche s'étaient emparé en 1864, après une brève guerre contre le Danemark, avait momentanément réuni les deux puissances. Mais Bismarck, tout en réorganisant l'armée prussienne, avait d'autres ambitions et attendait l'occasion d'entrer en conflit avec son voisin autrichien.

Pour cela, il lui fallait s'assurer de la neutralité de la France et de l'Italie. En octobre 1865, sous prétexte de tourisme à Biarritz, le chancelier prussien rencontrait seul à seul l'empereur français. Ce dernier, favorable à l'unité allemande, laissa entendre à Bismarck qu'il ne s'opposerait pas aux ambitions de la Prusse et s'offrit à servir d'intermédiaire entre cette dernière et l'Italie, avec laquelle Bismarck conclut une alliance en avril 1866. Sans avoir demandé formellement de compensation en échange de sa neutralité, Napoléon III entendait bien cependant recevoir la récompense de ses bons offices : « Ah ! si vous aviez une Savoie ! » glissa-t-il à l'ambassadeur prussien Goltz. Mais sa première erreur fut de n'exiger clairement aucune récompense pour sa bonne volonté. Pensant que les hostilités entre la Prusse et l'Autriche seraient longues, il estimait en fait avoir le temps de préparer ses revendications.

L'affaire se régla très rapidement. Sûr de la neutralité de la France et de l'alliance de l'Italie, Bismarck mit tout en œuvre pour provoquer l'Autriche, qui, en juin, 1866, demanda à la diète de Francfort de mobiliser contre la Prusse. En un mois, les troupes prussiennes furent victorieuses sur tous les fronts, triomphant des armées des princes allemands qui s'étaient joints à

Bismarck. Pour réaliser l'unité allemande, le chancelier de fer devait assurer la prépondérance de la Prusse sur l'Autriche et eut l'habileté de laisser entendre à Napoléon III qu'il pourrait jouer le rôle d'arbitre. *Phot. Roger-Viollet.*

Vue de la villa Eugénie à Biarritz. Sur la terrasse de cette villa, où la cour impériale se réunissait en été, Bismarck et Napoléon III se rencontrèrent seuls pour négocier de l'attitude française en cas de conflit austro-prussien. Lithographie, B. N. *Phot. Lauros-Giraudon.*

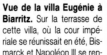

l'Autriche. Puis le 3 juillet, à Sadowa en Bohême, les Prussiens écrasaient les Autrichiens et commencèrent à marcher sur Vienne.

Les « pourboires » de Sadowa. Au lendemain de Sadowa, François-Joseph sollicita la médiation de Napoléon III et, en échange de la Vénétie, lui demanda d'obtenir un armistice avec l'Italie, alliée de la Prusse. Une seconde fois, l'empereur français laissa passer la chance de jouer un rôle déterminant dans le conflit austro-prussien. Épuisé par une attaque violente du mal qui le minait, tracassé par les derniers sursauts de la guerre du Mexique, il ne put se décider à suivre l'avis énergique de son ministre des Affaires étrangères, Drouyn de Lhuys, qui voulait donner un avertissement à la Prusse et mobiliser les troupes françaises sur le Rhin. Après avoir hésité, Napoléon III se rangea à l'opinion du ministre de l'Intérieur, La Valette, qui, appuyé par Baroche et Rouher, se prononçait contre une médiation armée. Cette passivité de la France permit à Bismarck de mener à son gré les négociations avec l'Autriche, et Napoléon III laissa la Prusse annexer les États allemands

situés au nord du Main. Sans demander de contrepartie, l'empereur permit ainsi aux Prussiens de constituer un État d'un seul tenant de la frontière russe à la frontière française.

Bismarck, victorieux sur toute la ligne, n'avait plus rien à attendre de la France. Aussi accueillit-il avec dédain les trois requêtes successives présentées par Napoléon III, qui espérait recueillir la récompense de son attitude complaisante. Cela lui valut un commentaire ironique de Bismarck : « Louis nous présente sa note d'aubergiste ! » En août 1866, l'ambassadeur de France à Berlin, Benedetti, demanda les territoires bavarois et hessois situés sur la rive gauche du Rhin, exigence que Bismarck repoussa catégoriquement. Quelques jours plus tard, Benedetti revint à la charge : la France laisserait la Prusse continuer son expansion dans les territoires allemands situés au sud du Main si elle obtenait la cession du Luxembourg et la possibilité d'annexer ultérieurement la Belgique. Bismarck, sans s'engager, laissa les choses traîner en longueur.

Une troisième fois, en mars 1867, Napoléon III se heurta à un refus de la Prusse. Il avait décidé de faire l'acquisition du

Luxembourg, propriété personnelle du roi de Hollande. Mais, brusquement, après avoir laissé espérer son consentement, Bismarck intervint auprès du roi hollandais pour faire échouer l'affaire. Un moment, l'empereur français pensa déclarer la guerre à la Prusse, mais recula, conscient que l'armée française, affaiblie par l'expédition du Mexique, ne pourrait affronter les Prussiens. Une conférence internationale, réunie à Londres en mai 1867, fit du duché de Luxembourg un territoire neutre.

Napoléon III en 1868. Ce dessin souligne à quel point le souverain était touché par la maladie qui, par moments, anéantissait complètement sa volonté. Musée Napoléon, Rome. *Phot. Savio, archives Tallandier.*

La politique des « pourboires » n'avait apporté que des humiliations à Napoléon III. En France, l'opposition ne se priva pas d'attaquer les faiblesses de la conduite impériale. De leur côté, les Allemands s'étaient indignés des tentatives maladroites de l'empereur, qu'ils considéraient comme une atteinte à leur identité nationale. De part et d'autre, les rancunes s'exaspéraient et les esprits les plus clairvoyants s'inquiétaient du contentieux qui se développait entre la Prusse et la France. « Nous aussi, nous avons été battus à Sadowa » : cette remarque du maréchal Randon traduisait bien le fait qu'en perdant la face Napoléon III avait du même coup entamé le crédit de la France.

Le sac du palais d'Été. L'Amérique n'était pas la seule chimère de l'empereur français, sollicité aussi par les mirages de l'Extrême-Orient. Comme ses voisins anglais, Napoléon III s'intéressait à l'expansion coloniale dans des territoires éloignés qui offraient de nouveaux débouchés aux industriels et aux commerçants occidentaux. La France catholique était aussi très sensible à l'œuvre menée par les sociétés de missions qui, à l'instigation

du pape Grégoire XVI, s'étaient implantées en grand nombre en Chine et dans la péninsule indochinoise.

Pour riposter aux tortures que les Chinois avaient infligées à leurs missionnaires, l'Angleterre et la France envoyèrent en 1857 une première expédition qui occupa Canton et contraignirent la Chine à signer en 1858 le premier traité de T'ien-tsin accordant aux Occidentaux l'ouverture de onze ports chinois. Devant les réticences de Pékin à appliquer les clauses de ce traité, les forces franco-anglaises se préparèrent à intervenir une seconde fois et 8 000 volontaires français, sous les ordres du général Cousin-Montauban, marchèrent sur Pékin. En septembre 1860, les Français mirent en déroute les troupes chinoises au pont de Palikao, près de la capitale. En octobre, les alliés pénétraient dans Pékin et investissaient le palais d'Été, d'où le souverain chinois s'était enfui pour se réfugier au nord. Devant les fabuleux trésors entassés dans le palais, objets d'or et d'argent, porcelaines délicates, jades et pierres précieuses, soieries somptueuses, la discipline militaire s'effondra. Comme pris de folie, les soldats se livrèrent au pillage en règle de toutes les merveilles

Attaque et prise de Canton en 1857. Par le traité de Whampoa en 1844, la France avait obtenu l'ouverture de cinq ports chinois à ses commerçants et la possibilité pour ses missionnaires de s'installer sur le continent asiatique. Mais les manquements des Chinois aux clauses du traité entraînèrent les Français et les Anglais à envoyer en 1857 une expédition qui bombarda Canton. Peinture de Barthélemy, musée de la Marine, Paris. *Phot. musée de la Marine.*

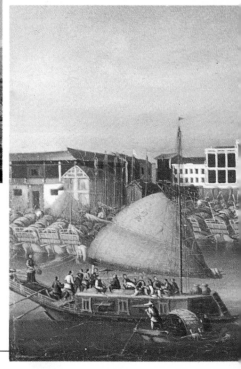

Les comptoirs étrangers à Canton vers 1850. Dès le XVIᵉ siècle, les Occidentaux avaient tenté de s'installer en Chine, mais s'étaient heurtés à la méfiance du pouvoir impérial chinois. Au XIXᵉ siècle, cette tendance se renforça et les commerçants étrangers ne pouvaient, en 1850, habiter que dans cinq ports chinois, où ils vivaient dans des quartiers réservés. Jusqu'en 1842, ils n'avaient même pas le droit de communiquer directement avec les autorités chinoises. Coll. Eclen N. Lamotte.
Phot. Mayer.

Prise du palais d'Été à Pékin. La seconde expédition française en Chine, en 1860, se termina par le pillage du fabuleux palais impérial situé près de Pékin. Les soldats de Cousin-Montauban et de l'Anglais lord Elgin ne purent résister à la tentation et la plupart des merveilles du palais prirent le chemin de l'Europe. B. N., cabinet des Estampes.
Phot. B. N., archives Tallandier.

Prise de la citadelle de Saigon en 1859. L'intervention française en Annam fut provoquée par l'attitude hostile de l'empereur Tu Duc à l'égard des missionnaires français. La prise de Saigon par l'amiral Rigault de Genouilly préparait à long terme l'occupation de la Cochinchine, qui se fit grâce à l'action des amiraux Bonard et La Grandière, encouragés par le ministre de la Marine Chasseloup-Laubat. Peinture d'Antoine Morel-Fatio, musée du château de Versailles.
Phot. Lauros-Giraudon.

Réception des ambassadeurs siamois par Napoléon III à Fontainebleau le 27 juin 1861. En accueillant une délégation de Siamois, Napoléon III renouait avec une tradition instaurée par Louis XIV. En présence de toute la cour impériale en tenue de cérémonie, les Siamois se prosternèrent devant les souverains français et leur offrirent, parmi d'autres présents somptueux, une litière de cérémonie et un fauteuil-palanquin précieux. Ce fut l'expédition qu'il mena en Chine avec l'Angleterre qui amena Napoléon III à s'intéresser à l'Extrême-Orient. Il pensait trouver dans ces territoires lointains de nouveaux débouchés pour l'industrie et le commerce français. Il put ainsi entrer en rapport avec le roi du Siam, Rama IV, qui, monté sur le trône en 1851, se montra très favorable aux relations de son pays avec les nations européennes. Peinture de Jean-Léon Gérôme, château de Versailles.
Phot. Lauros-Giraudon.

dont regorgeaient les appartements impériaux et, pour couronner leur forfait, incendièrent le palais d'Été. En octobre 1860, un second traité signé à T'ien-tsin autorisait les Occidentaux à ouvrir des légations à Pékin et permettait aux missions de s'installer en Chine. Une forte indemnité était versée par la Chine aux Français et aux Anglais.

La « Cochinchine des amiraux ».

Dans son rêve d'apporter aux peuples orientaux les lumières de la civilisation occidentale, Napoléon III en vint aussi à s'intéresser à l'Indochine. Les massacres répétés dont étaient victimes les missionnaires installés dans le royaume d'Annam irritaient l'opinion catholique française. Aussi, pour la calmer et pour répondre à une demande personnelle du pape, l'empereur se prépara-t-il à intervenir dans cette région lointaine que la plupart des membres de son gouvernement étaient incapables de situer sur une carte. En septembre 1858, l'amiral Rigault de Genouilly, à la tête de la flotte française, s'empara de Tourane, puis, en février 1859, de Saigon, où il installa une petite garnison de 700 hommes. Encerclés par les Annamites, ceux-ci soutinrent avec courage, pendant près d'un an, un siège qui semblait désespéré. En février 1861, ils furent enfin délivrés par une expédition dirigée par le vice-amiral Charner. Après avoir dégagé Saigon, les Français consolidèrent leurs positions et, en 1862, l'amiral Bonard contraignit l'empereur d'Annam, Tu-Duc, à signer un traité cédant à la France les trois provinces orientales de la Cochinchine et autorisant l'ouverture de ports aux commerçants français. En 1867, l'amiral La Grandière, prenant prétexte de révoltes indigènes, occupa les provinces occidentales de la Cochinchine qui passait ainsi tout entière sous la domination française.

Les amiraux français qui avaient occupé la Cochinchine avaient le projet de contrôler le cours du Mékong, qui, à leur avis, permettrait d'atteindre la Chine. Le royaume du Cambodge, limitrophe de la Cochinchine, commandait le passage du moyen Mékong. Aussi la France, par l'intermédiaire de l'amiral Doudart de Lagrée, imposa-t-elle en 1863 au roi Norodom un traité de protectorat, qui fut reconnu en 1867 par le puissant voisin du Cambodge, le Siam. Grâce à ce protectorat, Doudart de Lagrée, en compagnie du lieutenant Francis Garnier, pouvait remonter le cours du Mékong pour explorer les voies d'accès vers la Chine et ses marchés. Au bout de deux ans, l'expédition parvint dans la province chinoise du Yun-nan, mais Doudart

de Lagrée avait alors compris que la seule voie d'accès à la Chine était en fait le Sông Koï, ou fleuve Rouge, qui traversait le Tonkin. Ce pays allait devenir l'objectif prioritaire de l'occupation française en Extrême-Orient.

Le canal de Suez. Alors que les déboires du Mexique et les conséquences désastreuses de la bataille de Sadowa assombrissaient la vie politique française, l'Empire brillait d'un ultime éclat en Méditerranée orientale grâce à l'ouverture du canal de Suez. L'appui donné par la France aux projets de Ferdinand de Lesseps avait permis cette réalisation prestigieuse, qui ouvrait une voie d'accès rapide vers l'Extrême-Orient. Lesseps, saint-simonien et

Ferdinand de Lesseps. Le futur « père » du canal de Suez avait connu fort jeune l'Égypte, où son père avait été consul, et s'était enthousiasmé pour ce pays. Il eut besoin de toute son obstination pour mener à bien son entreprise au milieu des difficultés de toutes sortes. *Phot. X.*

parent éloigné de l'impératrice Eugénie, avait consacré une grande partie de sa vie à mettre en œuvre la construction de ce canal dont il avait eu l'idée dès son premier séjour en Égypte en 1831-1833. Grâce aux liens d'amitié qu'il avait noués avec le khédive égyptien Sa'id pacha, il obtint en 1854 l'autorisation de creuser un canal qui relierait la Méditerranée à la mer Rouge. Les crédits nécessaires à ces travaux imposants furent apportés par la Compagnie universelle du canal maritime de Suez, qui, créée en 1856, émit 400 000 actions, souscrites pour la moitié par des Français.

Réalisant un rêve qui avait pris naissance dès l'époque pharaonique, Ferdinand de Lesseps donna le premier coup de pioche le 25 avril 1859. Pendant dix ans, il allait mener à bien les travaux de percement de ce canal long de 161 km qui traversait le désert de Port-Saïd à Suez. Outre les difficultés matérielles rencontrées pendant le creusement du canal, Lesseps dut aussi affronter les obstacles que lui opposèrent les Anglais, inquiets de voir que la maîtrise de la route des Indes risquait de leur échapper. Le Premier ministre anglais, Palmerston, parvint même, après l'avènement en 1863 du nouveau khédive, Ismaïl pacha, à faire arrêter les travaux. Seule l'intervention de Napoléon III permit de dénouer le conflit.

Le 14 mars 1869, les eaux de la Méditerranée étaient introduites dans les lacs

Percement du canal de Suez. Les fellahs égyptiens constituèrent la main-d'œuvre fournie par le khédive pour le percement du canal unissant les deux mers à travers le désert. Napoléon III, qui s'intéressait personnellement aux travaux de Suez, sut obtenir de l'Angleterre que cette dernière cessât d'entraver la poursuite de l'ouvrage. *Phot. Sirot.*

Amers ; le 15 août, elles rejoignaient celles de la mer Rouge et le 17 novembre, à Port-Saïd, commençaient les cérémonies fastueuses d'inauguration en présence du khédive et de nombreuses têtes couronnées. Après un service religieux musulman et une messe célébrés conjointement, le yacht impérial français, *l'Aigle,* sur lequel avait pris place l'impératrice Eugénie, suivi par les autres yachts royaux, s'engagea dans le canal. Sur les rives, une foule colorée et pittoresque offrait le spectacle de son enthousiasme délirant et, à chaque étape, des fêtes arabes, des banquets, des bals, renouvelaient l'émerveillement des hôtes du khédive. Le 20 novembre, la flotte pénétrait enfin dans la mer Rouge, et Ferdinand de Lesseps, fêté par l'Europe et l'Égypte, recevait la juste récompense de son obstination.

Les fastes de l'inauguration du canal de Suez, qui faisaient écho aux fêtes brillantes qui, lors de l'Exposition universelle de 1867, avaient attiré à Paris tous les souverains étrangers, ne pouvaient faire oublier que la France se trouvait de plus en plus isolée parmi les puissances européennes. Les maladresses diplomatiques, les déboires dus à des expéditions hasardeuses avaient contribué à détacher de la France ses alliés traditionnels, peu disposés à appuyer Napoléon III, dont le prestige sortait amoindri de la politique extérieure menée à partir de 1860.

Cérémonie d'inauguration du canal de Suez à Port-Saïd, le 17 novembre 1869. De part et d'autre de la tribune officielle, où siégeaient le khédive, l'impératrice Eugénie et de nombreuses altesses, une messe et un office musulman furent célébrés. Peinture de Riou, musée de Compiègne.
Phot. Giraudon.

Ouverture du canal de Suez. En 1869, Ferdinand de Lesseps voyait l'aboutissement heureux de tous ses efforts au cours des festivités qui marquèrent l'inauguration du canal. Peinture de Riou, musée de Compiègne.
Phot. Dubout, archives Tallandier.

page suivante :
Souper aux Tuileries en 1867. Malgré les difficultés qu'avaient connues la France au Mexique, la fête impériale continuait et de splendides réceptions honorèrent la visite des souverains étrangers à l'Exposition universelle de 1867. Aquarelle d'Henri Baron, Musée national, Compiègne.
Phot. Lauros-Giraudon.

120, *1862-1867 LA GUERRE DU MEXIQUE.*

ES CONCESSIONS par lesquelles Napoléon III avait voulu apaiser l'opposition avaient eu des résultats contraires à l'effet recherché : les libéraux estimaient insuffisantes les mesures prises à partir de 1867 pour assouplir le régime, alors que les partisans de l'autoritarisme les trouvaient excessives. Les échecs de la politique extérieure française ne firent qu'apporter des armes supplémentaires aux adversaires de l'Empire.

Les lois de 1868 sur la presse et les réunions donnèrent un grand essor à l'opposition et on vit apparaître de nouvelles formes d'attaques dont la violence, inconnue jusque-là, se développa dans un climat de fronde. Alors que la génération de 1848 s'était cantonnée dans un idéalisme généreux, mais inefficace, les jeunes républicains de 1868 se lancèrent dans une attaque en règle des institutions, s'en prenant sans aucun ménagement à l'armée, à l'Église et, bien entendu, au gouvernement. Malgré les restrictions qui limitaient le choix des sujets proposés pour les débats, les réunions publiques se firent de plus en plus fréquentes pendant l'hiver 1868-1869 et, comme dans les clubs apparus au moment de la révolution de 1848, la foule se pressait dans les gymnases ou les salles de bal dans lesquels se déchaînaient les orateurs. De même, la nouvelle réglementation de la presse favorisa la fondation de journaux et, en moins de un an, plus de 140 titres apparurent en France, une presse hardie accablant de sarcasmes l'empereur, ce « Badinguet », ce « jocrisse couronné », que l'on comparait aux pires tyrans de l'histoire. Les lecteurs firent un succès immédiat à la revue pamphlétaire que lança le 30 mai 1868 Henri Rochefort,

1870
La dépêche d'Ems

alias le marquis de Rochefort-Luçay : sous sa couverture rouge, *la Lanterne*, dès son premier numéro, tira à plus de 100 000 exemplaires et, dans toutes les classes de la société, on s'arracha cet opuscule dont la première phrase donnait le ton : « La France contient 36 millions de sujets sans compter les sujets de mécontentement. » Multipliant les sarcasmes, les calembours et les à-peu-près, souvent au mépris du bon goût, Rochefort s'attira les foudres de la censure impériale et dut s'exiler, mais *la Lanterne* servit d'exemple à de nombreuses publications dont l'ironie virulente constituait un danger redoutable pour le pouvoir.

Ridiculisé par les journalistes, le régime impérial devait aussi affronter les critiques portant sur sa légitimité. Un ouvrage d'Eugène Ténot, *Paris en décembre 1851,* en racontant sur un ton volontairement sobre et mesuré le coup d'État qui avait instauré l'Empire, révéla aux jeunes générations les événements qui avaient marqué la prise de pouvoir par Louis-Napoléon. La description des barricades qui s'étaient élevées dans Paris et le souvenir des victimes innocentes fusillées sur les grands boulevards eurent un grand retentissement. Un incident qui faillit dégénérer en révolution montra à quel point les esprits étaient échauffés dans les mois qui précédèrent les élections de 1869.

Une partie de billard au Cercle impérial. Pour de multiples raisons, l'opposition républicaine s'accrut à partir de 1868 et les caricaturistes s'en donnèrent à cœur joie pour ridiculiser le pouvoir impérial. Sur ce dessin, les ministres, « croqués » dans des attitudes caractéristiques, jouent au billard autour de l'impératrice, que les dessinateurs représentaient généralement sous l'apparence d'une grue, « oiseau bête et poseur ». Caricature parue dans *les Actualités.* Musée d'Art et d'Histoire de Saint-Denis. *Phot. Lauros-Giraudon.*

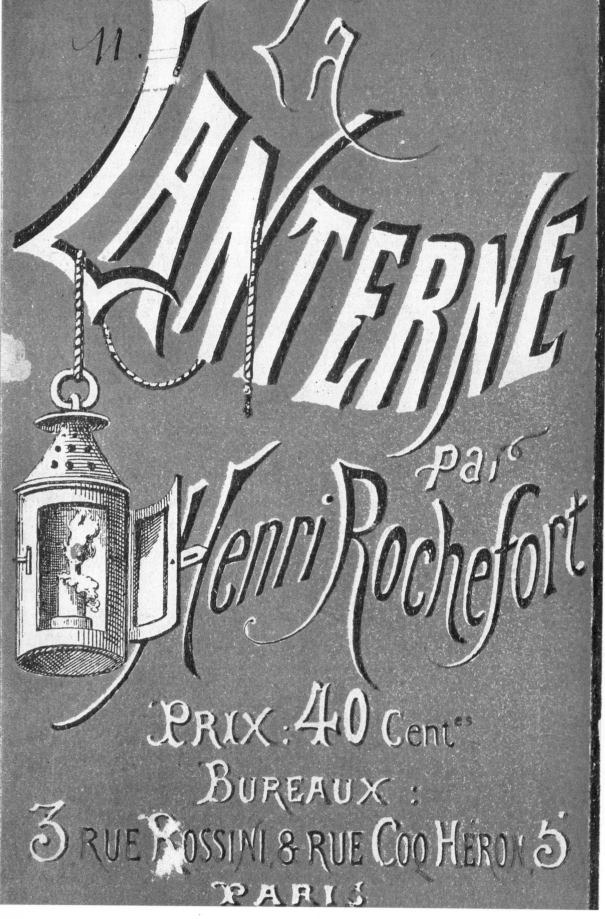

Le premier numéro de la Lanterne. La couverture rouge de l'opuscule pamphlétaire lancé par Henri Rochefort en 1868 était à l'image de son contenu corrosif et violent. La libéralisation toute relative de la presse par la loi de 1868 se traduisit par une recrudescence d'attaques contre l'Empire. Tous les mythes napoléoniens devenaient la cible des journalistes et des caricaturistes, et le coup d'État du 2 décembre 1851, qui pendant des années était passé pour un acte glorieux, devint une infamie sanguinaire. B. N.

Phot. Larousse.

CEUX QUI EXALTAIENT le souvenir de la résistance de 1851 firent émerger un nom de l'oubli dans lequel il était tombé, celui du député Baudin, tué au faubourg Saint-Antoine pour « vingt-cinq francs » par jour et qui, du jour au lendemain, devint le symbole de l'opposition républicaine. Dans son journal *le Réveil*, Delescluze, après avoir appelé à une manifestation le 2 novembre 1868 sur la tombe du député au cimetière Mont-

martre, lança une souscription dont le montant servirait à élever un monument à la mémoire de Baudin. L'affaire n'aurait eu qu'une audience limitée, si le ministre de l'Intérieur, Pinard, n'avait commis la maladresse de traduire devant le tribunal correctionnel Delescluze et sept autres journalistes. Pour assurer sa défense, Delescluze fit appel à un jeune avocat méridional, encore peu connu, Léon Gambetta, qui, lors du procès, dans un torrent d'élo-

quence passionnée, dressa le réquisitoire du second Empire : « Il n'y a que deux anniversaires, le 18 brumaire et le 2 décembre, qui n'ont jamais été mis au rang des solennités d'origine, parce que vous savez que, si vous vouliez les y mettre, la conscience universelle les repousserait. » Du jour au lendemain, Gambetta était devenu célèbre dans toute la France. Sous la violence des attaques républicaines, l'Empire, déjà affaibli par les déconvenues de

Le déclin de l'Empire

Pour illustrer le pamphlet de Victor Hugo, *Histoire d'un crime*, l'artiste a représenté Napoléon III remportant la victoire du 2 décembre 1851 en écrasant hommes, femmes et enfants. Gravure de Dargent, Musée Victor Hugo.
Phot. Bulloz.

Léon Gambetta. Le jeune avocat de Cahors se fit un nom en défendant le journaliste républicain Delescluze, accusé d'avoir voulu élever un monument à un « martyr » du coup d'État, le député Baudin, tombé sur une barricade.
Phot. P. Petit.

La place de la Bastille.
Après les élections de mai 1869, l'agitation républicaine fut encouragée par les progrès enregistrés par l'opposition. Des manifestants, venus de Belleville, descendirent vers les Boulevards et la place de la Bastille aux cris de « Vive la République » et se mirent à élever des barricades, dont la police vint assez vite à bout. B. N., cabinet des Estampes.
Phot. Tallandier.

Réunion électorale au gymnase Triat à Paris. La loi sur la liberté de réunion de 1868 n'autorisait que les réunions à caractère agricole, scientifique ou littéraire, à l'exclusion de la politique et de la religion. Pourtant, les rencontres électorales étaient libres, mais limitées par de nombreuses restrictions. Malgré ces entraves, elles provoquèrent, au moment de la campagne pour les élections législatives de mai 1869, de grands rassemblements, comme dans le gymnase Triat où les spectateurs trop nombreux ont pris place sur les agrès et les trapèzes. Ces réunions publiques suscitèrent un grand enthousiasme dans les milieux républicains et l'atmosphère qui régnait dans ces assemblées rappelait celle des clubs de la IIe République.
Phot. H. Roger-Viollet.

sa politique hésitante, vacillait. Les élections de 1869 allaient cristalliser les mécontentements contre ce régime malade.

Les élections de 1869. Le pouvoir avait tout à redouter des élections qui, en 1869, devaient renouveler le Corps législatif. Dans le climat passionné entretenu par l'agitation républicaine, la campagne prit un tour violent. Rouher avait encore confiance dans les candidatures officielles, mais de nombreux candidats gouvernementaux préféraient prendre leurs distances avec un pouvoir discrédité et se présentaient de façon indépendante. La lutte en fait se déroulait entre les libéraux ralliés à l'Empire et les républicains. Traduisant les aspirations de ces derniers, Gambetta, adversaire du vieux Carnot, exposa dans son retentissant programme de Belleville les revendications révolutionnaires, exigeant toutes les libertés : « application radicale du suffrage universel, libertés individuelles, séparation de l'Église et de l'État, suppression des armées permanentes, instruction primaire, laïque, gratuite et obligatoire ».

Les 23 et 24 mai 1869, les élections aboutirent à une semi-défaite pour l'empereur. Le gouvernement recueillit encore près de 4 500 000 voix, mais l'opposition, avec ses 3 355 000 voix, avait réduit l'écart qui la séparait de la majorité. Les 292 députés élus se répartissaient, selon l'officiel *Moniteur,* en 216 partisans du gouvernement et 74 opposants. Mais, parmi les « gouvernementaux », il n'y avait en fait guère plus de 80 « mamelouks », ou bonapartistes inconditionnels. Les grandes villes avaient assuré le succès des républicains et Gambetta, élu à la fois à Belleville et à Marseille, opta pour la députation que lui offrait la grande ville méridionale, le siège de Belleville étant récupéré lors d'élections complémentaires par Rochefort, revenu de son exil.

Dans le climat surexcité qui avait régné en France pendant ces élections, des troubles sporadiques s'élevèrent. Entre les 6 et 12 juin, des manifestants venus de Belleville se répandirent sur les Boulevards et, aux cris de « vive la République », commencèrent à échafauder des barricades avant d'être brutalement dispersés par la police. Le 16 juin, à La Ricamarie, près de Saint-Étienne, une grève de mineurs dégénéra, la troupe tira et fit treize morts.

La rue du Croissant à Paris le soir des élections législatives de mai 1869. La foule se précipite sur les journaux pour connaître les résultats du scrutin. Les grandes villes s'étaient en majorité prononcées contre l'Empire et le pouvoir devait sa victoire définitive aux habitants des campagnes. Il était donc indispensable pour Napoléon III de se résigner à de nouvelles concessions. Gravure parue dans *l'Illustration.*
Phot. L. L.

Le nouveau Corps législatif, amené par les élections de mai, allait contraindre Napoléon III à faire des concessions. Pendant deux mois, il hésita, partagé selon son habitude entre les conseils contradictoires de son entourage. Alors que Rouher et l'impératrice étaient toujours partisans de renforcer l'autorité impériale, les derniers survivants du coup d'État, Persigny et Maupas, préconisaient d'entrer dans la voie des compromis. Fatigué physiquement et moralement, l'empereur ne se sentait plus capable de tenter un coup de force qui rétablirait la situation. Le 6 juillet, au moment de l'ouverture de la session du Corps législatif, 116 députés demandèrent à interpeller le gouvernement « sur la nécessité de donner satisfaction au sentiment du pays en l'associant d'une manière plus efficace à la direction des affaires et en nommant un ministère responsable ».

Émile Ollivier. En réponse à la demande des 116 députés, Napoléon III se fit donner par Rouher sa démission, puis accorda de nouvelles concessions aux Chambres. Après bien des hésitations, il fit appel au républicain Émile Ollivier, dont le ministère entra en fonction en janvier 1870. Photographie Carjat.
Phot. coll. Sirot, archives Tallandier.

Toujours des concessions. C'était en fait le Tiers Parti qui s'exprimait par cette motion présentée par 116 députés, un Tiers Parti assagi qui, par bien des points, ressemblait au parti de l'ordre arrivé au pouvoir en 1849. Se rangeant derrière Émile Ollivier ou Thiers, ces députés du centre, représentent les multiples tendances comprises entre les « mamelouks » et les républicains irréductibles, contraignirent l'empereur à revenir sur ses options des années précédentes. La principale victime des élections de 1869 fut Rouher. Le

8 juillet, l'empereur lui demandait de se démettre et, le 12 juillet, devant le Corps législatif, celui que l'opposition avait surnommé le « vice-empereur » vint présenter la démission de son ministère et lut un message de Napoléon III annonçant les réformes souhaitées. Un gouvernement de transition fut constitué, d'où furent évincés les ministres qui déplaisaient aux catholiques et aux protectionnistes. C'est ainsi que Baroche et Victor Duruy disparurent de la scène politique, remplacés par Duvergier et Bourbeau.

Pendant tout l'été, ce ministère de transition prépara le sénatus-consulte qui, promulgué le 8 septembre, transformait l'Empire. Le Corps législatif était le principal bénéficiaire de la réforme : il pouvait, comme l'empereur, avoir l'initiative des lois et votait le budget par chapitre. À côté du Corps législatif, le Sénat occupait les fonctions d'une seconde assemblée législative, pouvant renvoyer les lois aux députés pour amendement ou les refuser par son droit de veto. Les deux assemblées avaient le droit illimité d'interpellation. Quant aux minis-

tres, ils pouvaient être choisis par l'empereur parmi les membres des deux chambres et étaient responsables collectivement. Le sénatus-consulte du 8 septembre 1869 se situait ainsi dans le prolongement de la mesure du 24 novembre 1860 qui avait rétabli le droit d'adresse et de la lettre du 19 janvier 1867 dans laquelle l'empereur annonçait des mesures libérales. En 1869, une nouvelle étape avait été franchie vers l'Empire parlementaire.

Le « ministère des bonnes intentions ». De concession en concession, Napoléon III avait renoncé à la plupart des prérogatives que lui avait reconnues la Constitution de 1852. À l'automne 1869, l'agitation révolutionnaire connut une recrudescence, entretenue par la presse républicaine. Une grève, qui avait éclaté en octobre dans les mines d'Aubin, dans l'Avey-

Rouher prononce au Corps législatif son discours sur la nouvelle loi sur la presse. Celui qu'on surnommait le « vice-empereur » avait commencé sa carrière politique grâce à Morny, dont il se détacha ensuite. Rouher se montrait favorable à une politique autoritaire, mais il avait noué des relations amicales avec Émile Ollivier, et l'empereur pensa un moment unir les deux hommes dans un ministère de conciliation. B. N., cabinet des Estampes.
Phot. B. N.

Caricature sur la parution de *la Liberté*, journal d'Émile de Girardin. Malgré les limitations apportées à la liberté de la presse, les journaux se multiplièrent à la fin du second Empire grâce à l'action d'hommes d'envergure comme Émile de Girardin ou Hippolyte de Villemessant, directeur du *Figaro*. Dessin de Daumier.
Phot. H. Roger-Viollet.

ron, se termina de façon aussi sanglante qu'à La Ricamarie, avec quatorze grévistes tués lors des affrontements avec la troupe.

Napoléon III en vint alors à réaliser le projet que lui avait conseillé Morny plus de douze ans auparavant : faire appel à Émile Ollivier pour constituer un ministère. Il chargea un jeune député, Clément Duvernois, de mener secrètement les négociations avec Ollivier. Ce dernier se rendit même à Compiègne pour rencontrer Napoléon III et, dans la meilleure tradition des romans d'aventure, parvint par une porte dérobée jusqu'au bureau de l'empereur, avec lequel il eut un long entretien. Après bien des tergiversations, Napoléon III se décida enfin à entrer dans la voie du parlementarisme en adressant le 27 décembre à Émile Ollivier une lettre officielle : « Je vous prie de me désigner les personnes qui peuvent former avec vous un cabinet homogène, représentant fidèlement la majorité du Corps législatif. »

Le 2 janvier 1870, le nouveau ministère était constitué à l'aide d'hommes choisis non plus par l'empereur, mais par Ollivier, qui recruta, non sans peine, ses collaborateurs dans le centre gauche et le centre droit. L'impératrice était exclue du Conseil des ministres et, si ce dernier était toujours présidé par l'empereur, les décisions qui y étaient prises étaient mises aux voix. Cependant, à l'inverse de ce qui s'était passé en 1860, l'Empire libéral allait, selon toute vraisemblance, revenir à des méthodes autoritaires. La nouvelle majorité était disposée à contenter les protectionnistes, les cléricaux et les conservateurs, à se

Grève des ouvriers raffineurs de La Villette en avril 1870. La concentration industrielle avait entraîné la création d'une classe ouvrière qui, depuis la constitution de l'Internationale, était capable de mieux s'organiser. De plus, les grands travaux d'Haussmann à Paris avaient refoulé la population ouvrière loin des quartiers du centre et il s'était constitué autour de la capitale une « ceinture rouge » dont la puissance allait être démontrée au moment de la Commune. À la fin du second Empire, les ouvriers utilisèrent de plus en plus fréquemment l'arme de la grève pour protester contres leurs conditions de travail, comme ces ouvriers de La Villette dans les rangs desquels on remarque la présence de plusieurs enfants. Gravure de l'*Illustration*.
Phot. L. L. - L'Illustration.

Le ministère de janvier 1870. Les nouveaux ministres, parmi lesquels se trouvaient huit parlementaires, entourent Napoléon III et Émile Ollivier. Ce dernier, qui avait déclaré vouloir « le progrès sans violence et la liberté sans révolution », se préoccupa de modifier la Constitution par le sénatus-consulte du 20 avril 1870, qui était une nouvelle étape vers un Empire parlementaire. Mais Émile Ollivier, trop soucieux de contenter les conservateurs et les milieux d'affaires, s'attira l'hostilité des républicains qui lui reprochèrent d'avoir trahi leur parti. B. N., cabinet des Estampes.
Phot. B. N.

Réunion publique des chefs de la gauche tenue chez Jules Favre le 18 octobre 1869. Encouragés par le résultat des élections législatives de 1869, les chefs du parti républicain devinrent de plus en plus audacieux dans leurs réunions et les articles qu'ils faisaient paraître dans les journaux. B. N., cabinet des Estampes.
Phot. H. Roger-Viollet.

L'assassinat de Victor Noir par le prince Pierre Bonaparte. Les circonstances dans lesquelles le prince Bonaparte tira sur le jeune journaliste n'ont jamais été établies avec précision et seul le décor est exact dans ce dessin paru dans *l'Illustration.* Ce fait divers fut immédiatement exploité par l'opposition, qui fit porter la responsabilité du meurtre à l'ensemble du régime impérial. Gravure de *l'Illustration,* B. N., cabinet des Estampes.
Phot. Tallandier.

Les manifestations lors des obsèques de Victor Noir. En moins de quarante-huit heures, les républicains préparèrent la manifestation spectaculaire qui transforma les obsèques de Victor Noir en démonstration antigouvernementale. 100 000 personnes suivirent le cercueil du « martyr de la démocratie ». Le petit journaliste inconnu était devenu un symbole et, en quittant le cimetière de Neuilly où il avait été enterré, la foule se dirigea vers le centre de Paris avant d'être dispersée au rond-point des Champs-Élysées. Gravure de *l'Illustration.*
Phot. L. L. · L'Illustration.

Caricature de Pierre Bonaparte. Le prince est représenté en bandit corse inquiétant, et Rochefort, dans *la Marseillaise* datée du lendemain de l'assassinat de Victor Noir, ne craint pas de traiter tous les Bonapartes de « coupe-jarrets » aux mains tachées de sang. Le prince Bonaparte, jugé en mars 1870, fut acquitté, alors que les amis de Victor Noir, mêlés à l'affaire, furent tous condamnés à des peines de prison. B. N., cabinet des Estampes.
Phot. B. N., archives Tallandier.

montrer intransigeante à l'égard des mouvements ouvriers et des républicains. Mais la plupart des projets élaborés par Émile Ollivier et ses ministres restèrent en fait au stade des « bonnes intentions », puisque la guerre allait brutalement interrompre l'action de ce nouveau ministère.

L'assassinat de Victor Noir.

« Entre la République de 1848 et la République de l'avenir, vous êtes un pont, et, ce pont, nous le passerons. » Cette apostrophe de Gambetta à Émile Ollivier prouvait que l'agitation républicaine était loin de se calmer. Un incident dramatique allait la faire rebondir.

Le 10 janvier 1870, deux journalistes, Ulric de Fonvielle et Victor Noir, se présentaient rue d'Auteuil au domicile du prince Pierre Bonaparte pour le provoquer en duel au nom d'un autre journaliste, Paschal Grousset. Pendant l'entretien, au cours d'une querelle dont les circonstances furent mal établies, le prince Bonaparte tira un coup de pistolet sur Victor Noir et le tua. La victime était un jeune chroniqueur de

Henri Rochefort à la prison de Mazas. Ses prises de position lors de l'affaire Victor Noir valurent la prison au célèbre pamphlétaire.

Peinture d'Armand Gautier, musée d'Art et d'Histoire de Saint-Denis.
Phot. Lauros-Giraudon.

La grève au Creusot en 1870. La troupe occupe les ateliers. Émile Ollivier, fidèle aux principes d'ordre qu'il avait énoncés en janvier 1870, se montra particulièrement ferme à l'égard des mouvements de grève qui se déclenchèrent cette année-là et n'hésita pas à faire déloger par la troupe les ouvriers métallurgistes du Creusot qui occupaient leurs ateliers. Gravure de *l'Illustration*

Phot. L. L. - L'Illustration.

22 ans qui travaillait à *la Marseillaise,* dirigée par Henri Rochefort. L'assassin, fils de Lucien Bonaparte, était connu comme une sorte d'aventurier brutal que son tempérament violent tenait à l'écart de la cour impériale. Mais il portait le nom de Bonaparte et cela seul suffit à soulever les foules. Dès le soir du meurtre, des manifestations ouvrières se dirigèrent vers les grands boulevards, et l'opposition, Rochefort en tête, s'apprêta à organiser à Victor Noir des funérailles dignes d'un « martyr de la démocratie ». Le 12 janvier, à la suite de Rochefort, un cortège de 100 000 personnes accompagna le corbillard jusqu'au cimetière de Neuilly. À la sortie du cimetière, la foule se dirigea vers les Champs-Élysées où elle se heurta à la troupe. L'affrontement fut évité de justesse grâce à l'intervention de Rochefort et de Delescluze qui firent se disperser les manifestants. Mais, pendant tout le mois, Paris vécut dans un climat insurrectionnel et Ollivier, inquiet, fit arrêter Rochefort.

Pour mettre fin à l'agitation républicaine, le gouvernement n'hésita pas à frapper durement ceux qu'il tenait pour responsables. Après avoir envoyé la troupe au Creusot pour mettre fin aux grèves qui s'étaient déclarées dans le fief de Schneider, Ollivier prononça la dissolution de l'Internationale et procéda à l'arrestation de ses principaux chefs. En avril, la découverte d'un complot, réel ou simulé, dirigé contre l'empereur, permit d'incarcérer ceux que l'on considérait comme de dangereux meneurs. La rupture était totale entre le ministère Ollivier et les républicains.

Le dernier plébiscite. Cependant, la transformation de l'Empire se poursuivait. Le 20 avril 1870, un sénatus-consulte fit du Sénat la seconde chambre législative en lui enlevant son pouvoir constituant et en lui donnant comme au Corps législatif l'initiative des lois. Toutefois, la France n'était pas entièrement passée sous un véritable régime parlementaire, car l'empereur conservait le droit de nommer les ministres et de consulter le peuple par plébiscite pour les modifications éventuelles à apporter à la Constitution.

Ce fut le procédé que Napoléon III choisit pour engager une consultation de l'opinion publique. Le prétexte en fut le sénatus-consulte d'avril et on proposa aux Français un plébiscite volontairement spécieux en lui demandant de se prononcer sur la formule : « Le peuple approuve les réformes libérales opérées dans la Constitution depuis 1860 par l'empereur avec le concours des grands corps de l'État et ratifie le sénatus-consulte du 20 avril 1870. » L'énoncé même de la question était une habileté, car il était difficile pour les libé-

Caricature sur la propagande politique. Malgré l'opposition de certains ministres, qui pensaient qu'une consultation plébiscitaire était contraire à l'évolution parlementaire de l'Empire, Napoléon III se décida à consulter une nouvelle fois le peuple français. Opposants et partisans se livrèrent alors à une propagande effrénée pendant les semaines qui précédèrent le vote. Coll. Ch. Dollfus.
Phot. Luc Joubert, archives Tallandier.

Le Plébiscite. Sous une forme amusante, Daumier a souligné l'habileté de la question posée aux électeurs. Ceux-ci en effet ne pouvaient qu'approuver l'évolution libérale du régime. Les républicains comprirent le piège et furent nombreux à préconiser l'abstention, mot d'ordre que suivirent un peu plus de 1 800 000 électeurs. Mais, malgré les tentatives des abstentionnistes, Napoléon III vit ses espérances réalisées par le résultat du plébiscite qui, une nouvelle fois, pouvait se traduire par « oui ».
Phot. Larousse.

M'sieu l'maire quoi donc que c'est
C'est un mot latin qui veut dire

raux ou les républicains de voter contre la libéralisation du régime, mais, du même coup, ils étaient contraints de plébisciter le souverain, présenté comme responsable de cette évolution. C'est ce qui explique les réticences manifestées aussi bien par la majorité que par l'opposition. À l'intérieur même du ministère Ollivier, des dissensions se révélèrent : Buffet, ministre des Finances, et Daru, ministre des Affaires étrangères, démissionnèrent. Dans les rangs de l'opposition, les avis étaient partagés : certains républicains extrémistes conseillaient l'abstention, Thiers se prononçait pour le « non », alors que Guizot préconisait le « oui ».

Les contradictions de la classe politique servirent en fait les desseins de l'empereur. Le 8 mai, les Français souscrirent avec enthousiasme à la politique impériale en approuvant le plébiscite par 7 350 000

« oui » contre 1 570 000 « non ». Ce succès inespéré conforta Napoléon III, qui avait regagné l'écrasante majorité par laquelle il avait été porté au pouvoir en 1852 : « J'ai retrouvé mon chiffre », s'exclama-t-il à l'annonce de ces résultats, alors que Gambetta traduisait le découragement de l'opposition en constatant : « L'Empire est plus fort que jamais ! »

En fait, les événements extérieurs allaient brutalement interrompre le nouveau rêve de Napoléon III. Alors que le spectre d'une révolution semblait être écarté et que le ministère Ollivier préparait un nouveau train de réformes sur la presse, l'administration régionale et l'enseignement supérieur, l'Empire basculait dans la guerre franco-allemande. Comme son régime, qu'il pensait affermi, Napoléon III ne connaîtrait pas la « vieillesse heureuse » qu'Émile Ollivier lui avait prédite.

Un bureau de vote le 8 mai 1870. Le vote était à bulletin secret, mais ce haut fonctionnaire montre ostensiblement le bulletin oui qu'il va déposer dans l'urne. Le succès qu'enregistra Napoléon III au plébiscite de 1870 fut dû à la population des campagnes qui se prononça en faveur de l'Empire. En revanche, on comptait à Paris plus de 50 p. 100 de non et il y eut dans la capitale, à l'annonce des résultats, quelques mouvements de foule vite réprimés par la police.
Phot. Larousse.

La candidature Hohenzollern. Un incident diplomatique en juillet 1870 provoqua le conflit qui éclata entre la France et la Prusse, mais le contentieux entre les deux pays remontait à Sadowa. L'opinion publique française avait durement ressenti l'humiliation des refus essuyés par Napoléon III lors de ses demandes répétées de compensations. De son côté, Bismarck, qui désirait rallier les États de l'Allemagne du Sud, pensait qu'en engageant un conflit contre la France il pourrait fortifier le patriotisme allemand. Dans cette perspective, il activa l'équipement militaire de son pays en se préoccupant de renforcer les alliances de la Prusse avec les nations européennes.

L'incident que Bismarck recherchait pour lancer son pays contre l'« ennemi héréditaire », la France, ce fut la candidature d'un prince allemand au trône d'Espagne. Après la révolution qui, en 1868, avait renversé la reine d'Espagne, Isabelle II, le gouvernement provisoire, dirigé par le général Prim, se préoccupa de trouver un nouveau souverain. Après l'échec de plusieurs tentatives dans les cours européennes, Prim songea au prince Léopold de Hohenzollern, cousin du roi de Prusse et frère du roi de Roumanie. Bismarck, consulté en secret, après que Prim eut

Ems. De cette petite ville thermale, le roi de Prusse envoya à Bismarck une dépêche relatant l'incident qui l'avait opposé à l'ambassadeur de France. Par une utilisation habile des termes de cette dépêche, Bismarck donna au texte un tour offensant pour la France, bien propre à déclencher l'indignation de l'opinion publique de ce pays, déjà fort surexcitée par les rebondissements de la candidature Hohenzollern.
Phot. L. L.

Guillaume Ier. Ce fut contre l'avis du roi de Prusse que Bismarck conseilla au prince de Hohenzollern de se porter candidat au trône d'Espagne. Cependant, « malgré son avis personnel », Guillaume Ier donna en définitive son accord à la candidature de son cousin. Cette dernière suscita une réaction indignée de la part de la France, qui, alors que le prince avait renoncé à la couronne espagnole, voulut obtenir du roi l'assurance que les Hohenzollern avaient abandonné toute prétention au trône d'Espagne.
Phot. Roger-Viollet.

essuyé un premier refus de la part du père de Léopold, Antoine de Hohenzollern, intervint alors pour convaincre à la fois Guillaume Ier et les deux Hohenzollern d'accepter la couronne qui ferait entrer dans l'alliance de la Prusse un pays frontalier de la France. Malgré ses hésitations, Léopold de Hohenzollern adressa à Prim en juin 1870 son consentement.

Toute l'affaire s'était traitée à l'insu de tous et l'on attendait le vote des Cortès, l'assemblée espagnole, pour révéler au public la candidature Hohenzollern. Mais une indiscrétion trahit le secret et, le 2 juillet, la nouvelle fut connue à Paris, provoquant une agitation extrême. Les journaux se déchaînèrent contre Bismarck, accusé d'avoir tramé un plan dirigé contre la France. Dans l'entourage de l'empereur, l'émotion était vive et l'impératrice poussait son mari à riposter vigoureusement.

Selon le mot de Bismarck, le « taureau gaulois allait se ruer sur le chiffon rouge ».

La demande de garanties. Dans le climat d'exaspération qui régnait en France depuis l'annonce de la candidature Hohenzollern, le duc de Gramont, ministre des Affaires étrangères, se montra particulièrement violent et, dans le discours qu'il prononça le 5 juillet au Corps législatif, il affirma que la France ne souffrirait pas qu'un prince allemand fût placé sur le « trône de Charles Quint ».

La protestation de la France fut transmise, fait significatif, non à Madrid, mais à Berlin. À la demande de Gramont, l'ambassadeur de France en Prusse, Benedetti, alla trouver Guillaume Ier, qui prenait les eaux à Ems, une petite ville de Rhénanie, pour obtenir que Léopold renonçât à la couronne d'Espagne. Pendant que, à plu-

sieurs reprises, entre le 7 et le 11 juillet, Benedetti s'entretenait avec le roi de Prusse, on parla ouvertement de guerre à Paris. Enfin, le 12 juillet, sous la pression conjuguée des grandes puissances, le prince Antoine annonça que son fils renonçait à devenir roi d'Espagne. En lisant au Corps législatif la dépêche que le prince avait adressée au gouvernement espagnol, Émile Ollivier assura : « Nous tenons la paix, nous ne la laisserons pas échapper. »

Cependant, tous ne partageaient pas le soulagement d'Émile Ollivier. À l'opposé, les partisans de la guerre continuaient à s'agiter et les « mamelouks » rêvaient déjà d'épopée glorieuse. Gramont traduisit par

Le comte Benedetti, ambassadeur de France à Berlin. Malgré ses réticences, Benedetti dut transmettre au roi de Prusse les déclarations belliqueuses du ministre français des Affaires étrangères, le duc de Gramont. B. N.
Phot. Lauros-Giraudon.

ses propos belliqueux l'insatisfaction de ses compatriotes et, sans même prévenir Ollivier, se mit d'accord avec Napoléon III et l'impératrice pour adresser à Benedetti un télégramme lui demandant d'obtenir du roi de Prusse « l'assurance qu'il n'autoriserait pas de nouveau cette candidature ». Le 13 juillet, au matin, à contrecœur, Benedetti se présenta dans le parc d'Ems au roi Guillaume Ier qui revenait de prendre les eaux et lui communiqua les exigences de l'empereur français. Le roi, surpris, assura Benedetti que, pour lui, l'affaire de la candidature Hohenzollern était terminée et se refusa à prendre tout engagement. Une nouvelle fois, dans l'après-midi, Benedetti tenta d'obtenir une audience de Guillaume Ier, mais fut éconduit. Pour le roi, l'affaire était close et, devant le lendemain se rendre à Olmutz, il invita même Benedetti à venir le saluer à la gare.

La dépêche d'Ems. Pendant l'après-midi du 13 juillet, le roi Guillaume Ier avait fait parvenir à Bismarck, qui se trouvait à Berlin, une dépêche lui relatant les événements de la journée. Le chancelier, qui, quelques jours auparavant, devant l'échec de la candidature Hohenzollern, avait songé à démissionner, comprit tout de suite le parti qu'il pouvait tirer du télégramme de son roi. Condensant de moitié le texte de la dépêche et n'en retenant que le refus d'audience opposé à Benedetti, il rédigea un texte qui, dans sa concision, constituait un affront pour la France et l'adressa à la presse et aux ambassades : « Sa Majesté le roi a refusé de recevoir encore une fois l'ambassadeur français et lui a fait dire par l'aide de camp de service qu'il n'avait plus rien à communiquer à l'ambassadeur. » Sans être à proprement parler une falsification, la dépêche d'Ems était suffisamment insultante pour déchaîner l'opinion publique française.

Le résultat escompté par Bismarck ne se fit pas attendre. Le 14 juillet, la dépêche d'Ems fut publiée par la *Gazette de l'Allemagne du Nord* et connue le jour même à

La déclaration de guerre, au Sénat. Ce fut dans la fièvre que le Corps législatif et le Sénat approuvèrent, malgré une poignée d'opposants, le texte d'Émile Ollivier demandant des crédits pour la guerre. Dans leur précipitation, les parlementaires s'étaient peu interrogés sur les forces réelles des belligérants. Gravure de *l'Illustration*.
Phot. Larousse - L'Illustration.

Paris. Dans les deux capitales française et prussienne, la foule était dans un tel état d'excitation qu'il semblait impossible de pouvoir éviter l'affrontement. Gramont proclamait qu'il venait de « recevoir une gifle ». Aux Tuileries, puis le soir à Saint-Cloud, trois conseils des ministres se tinrent successivement pendant la journée du 14 juillet pour essayer de trouver une solution. On suggéra de demander la convocation d'un congrès européen qui poserait le principe qu'un membre d'une famille régnante ne pourrait accepter un trône étranger sans l'avis des autres puissances. Mais, pendant une interruption du Conseil, l'impératrice, hostile à cette décision qui, à ses yeux, constituait une humiliation pour la France, poussa les ministres à se prononcer pour des mesures énergiques. Lorsque le Conseil se dispersa au soir du 14 juillet, la guerre était décidée.

À Berlin ! Le lendemain, Émile Ollivier demanda au Corps législatif de voter les crédits nécessaires à la guerre. Au milieu de l'effervescence qui régnait alors parmi les députés, il termina son discours par une formule malheureuse : « De ce jour commence pour les ministres mes col-lègues et pour moi une grande responsa-bilité. Nous l'acceptons d'un cœur léger... je veux dire d'un cœur que le remords n'alourdit pas, d'un cœur confiant, parce que la guerre que nous ferons, nous la subissons. » Quelques députés tentèrent, au milieu du tumulte, de faire entendre raison à la Chambre, en assurant que la France avait obtenu satisfaction en ce qui concernait la candidature Hohenzollern. Ils furent hués, traités de « Prussiens » et le vieux Thiers, submergé par la folie qui avait saisi le Corps législatif, ne put malgré tous ses efforts aller au bout de son discours dans lequel il appelait les Français à refuser l'affrontement armé. À l'excep-tion d'une dizaine d'opposants, les députés votèrent les crédits de la guerre dans la nuit du 15 juillet et les cris de la foule parisienne, qui scandait dans les rues de la capitale « À Berlin ! », faisaient écho à leur enthousiasme.

Le 19 juillet, le chargé d'affaires de l'ambassade française à Berlin remettait à Bismarck le texte de la déclaration de guerre. « Le cœur léger », les Français s'engageaient dans un conflit pour lequel ils n'étaient pas préparés et qui allait se terminer en catastrophe.

Bismarck, le grand ogre allemand. La guerre avec la France représentait pour le chancelier prussien l'aboutis-sement de ses efforts pour réaliser l'unité des États alle-mands. À la différence de la France, la Prusse était tout à fait préparée à affronter le conflit. Lithographie de Pinot, B. N., cabinet des Estampes.
Phot. Lauros-Giraudon.

Manifestations en faveur de la guerre. À l'annonce de la déclaration de guerre à la Prusse, les rues de Paris se remplirent d'une foule joyeuse scandant « À Berlin ! ». Bibliothèque des Arts décoratifs, Paris.
Phot. Larousse.

page suivante :
Charge de dragons. « Il ne manque pas un bouton de guêtre », déclara le maré-chal Lebœuf, ministre de la Guerre. Les Français avaient toute confiance dans la vail-lance et l'ardeur de leurs soldats, mais ceux-ci étaient très inférieurs par leur nom-bre et leur équipement à la puissante armée prussienne. Peinture de Perboyre, musée de l'Armée, Paris.
Phot. Larousse.

PERBOY RE

140,   1870 LA DÉPÊCHE D'EMS

IRE, GRÂCE À VOS SOINS, LA FRANCE EST PRÊTE, assurait Rouher, et le maréchal Lebœuf, ministre de la Guerre, avait affirmé, disait-on : « Quand la guerre devrait durer un an, il ne manque pas un bouton de guêtre. » Ces deux phrases traduisaient bien l'optimisme aveugle de la plupart des dirigeants français, au mois de juillet 1870, au moment de la déclaration de guerre à la Prusse, optimisme partagé par l'ensemble de la population. La France tout entière, avec une confiance absolue, était persuadée d'être victorieuse et, dans les rues de Paris, la foule, ivre de patriotisme, reprenait les couplets de *la Marseillaise,* qui n'était plus chantée depuis le 2 décembre 1851.

En réalité, rien n'était prêt pour faire face à cette guerre et, pour un observateur clairvoyant, l'armée française ne pouvait espérer l'emporter sur les troupes prussiennes. Pourtant, en 1868, en prévision d'une guerre, le maréchal Niel avait essayé, par sa réforme du recrutement et l'institution d'une garde mobile, de remédier à l'infériorité numérique des forces françaises. Mais, de modification en modification, la loi Niel avait été complètement dénaturée et, faute de crédits, la Garde nationale mobile était encore à peine organisée. Le successeur de Niel au ministère de la Guerre, le maréchal Lebœuf, fut incapable de reconstituer l'armée française déjà fort entamée

par l'expédition du Mexique. Alors que la Prusse pouvait aligner sur ses frontières 500 000 soldats bien entraînés et bien encadrés, le gouvernement français n'était même pas capable de chiffrer avec exactitude ses effectifs : il escomptait pouvoir mobiliser 350 000 hommes, mais c'était oublier qu'une partie de ces effectifs se trouvait en Algérie et à Rome et n'était pas disponible sur-le-champ. En fait, on ne put réunir en France que 250 000 soldats. Encore fallait-il compter sur les délais nécessaires aux réservistes pour se rendre dans la ville, souvent fort éloignée de leur résidence, où ils recevaient leur équipement avant de rallier leur régiment : « On prenait un soldat à Dunkerque, on l'envoyait s'habiller à Perpignan ou même en Algérie, pour lui faire rejoindre son corps à Strasbourg », constata amèrement plus tard Canrobert, soulignant l'absurdité de ce recrutement.

Les Français étaient, de plus, fort mal équipés pour combattre. Leurs uniformes, pantalons rouges et tuniques bleues, en faisaient des cibles beaucoup trop visibles, alors que les soldats prussiens, vêtus de sombre, se fondaient dans le paysage. L'armée française était, certes, équipée du tout nouveau fusil Chassepot, dont la portée de 1800 m était bien supérieure à celle du fusil allemand Dreyse, qui n'atteignait que 600 m, mais les cartouches étaient en nombre insuffisant. Quant aux canons français en bronze, qui se chargeaient par la bouche, ils ne pouvaient rivaliser avec les canons Krupp en acier, à chargement par la culasse, des prodiges de la technique moderne. Tandis que le maréchal Lebœuf ne craignait pas d'affirmer que l'armée prussienne n'existait pas, cette dernière était de loin très supérieure à l'armée française, mal encadrée, mal équipée, mal préparée et éparpillée le long des frontières de Bâle à Thionville.

1870 Sedan

Fantassins au repos au camp de Châlons. Inférieurs en nombre aux Prussiens, les Français étaient, de plus, fort mal préparés à affronter les combats traditionnels. Alors que Moltke avait parfaitement coordonné la concentration de ses troupes, on commit l'erreur en France de vouloir mobiliser et concentrer en même temps les soldats. Dans la confusion qui s'ensuivit, bien des généraux furent incapables de retrouver leurs régiments. Peinture de E. Bellangé, musée de l'Armée, Paris.
Phot. Copyright Musée de l'Armée, Paris.

François-Joseph, empereur d'Autriche. Se fiant dans les négociations qui, depuis Sadowa, avaient rapproché l'Autriche et la France, Napoléon III pensait pouvoir compter sur l'appui de François-Joseph, mais ce dernier se déroba devant la menace que représentait une mobilisation russe sur ses frontières. Peinture de Winterhalter, Kunsthistorisches Museum, Vienne.
Phot. Lessing-Magnum.

Gladstone. En faisant connaître dans le *Times* les demandes que lui avait adressées la France après Sadowa pour annexer la Belgique, Bismarck avait fort habilement indigné le gouvernement anglais qui se garda bien de venir en aide à la France en 1870. Peinture de Millais, National Portrait Gallery.
Phot. Fleming.

INFÉRIEURE MILITAIREMENT, la France était aussi isolée diplomatiquement. Les initiatives souvent malheureuses de la politique impériale avaient peu à peu contribué à éloigner ses alliés traditionnels. Napoléon III comptait sur l'appui de l'Autriche et de l'Italie. Mais la Question romaine et le refroidissement des rapports entre l'Italie et la France depuis la bataille de Mentana faisaient hésiter Victor-Emmanuel à s'engager dans le conflit. Il proposa cependant son intervention, à condition que Rome fût évacuée par les Français, mais Gramont, le ministre des Affaires étrangères, s'opposa avec véhémence à cet arrangement : « La France ne peut défendre son honneur sur le Rhin et le sacrifier sur le Tibre ! » Quant à l'Autriche qui, après Sadowa, avait entamé des négociations avec la France pour signer un traité d'alliance, elle se déroba brusquement lorsqu'elle apprit que le tsar Alexandre II avait promis à la Prusse de mobiliser des troupes sur les frontières russes en cas d'alliance austro-française. La Russie, en effet, mécontente de l'attitude de la France lors de la candidature Hohenzollern, s'était rapprochée de la Prusse. L'Angleterre, de son côté, qui avait fortement désapprouvé la politique française de demandes de compensations après Sadowa, observait une neutralité hostile. La France, à la veille des engage-

La défaite de la France

Le tsar Alexandre II. La Russie n'était pas prête non plus à appuyer la France dans sa guerre contre la Prusse et le tsar promit même son appui à Bismarck au cas où l'Autriche s'allierait à la France. Dessin d'Alfred Mouillard, B. N.
Phot. Lauros-Giraudon.

Le dernier matin de Napoléon III à Saint-Cloud. Cette gravure allemande caricature cruellement l'empereur lors de son départ pour une guerre qui allait marquer la fin de son règne. Musée Carnavalet.
Phot. Lauros-Giraudon.

ments, se trouvait abandonnée par tous les souverains européens qui lui reprochaient de s'être livrée à l'égard de la Prusse à un acte d'agression injustifié.

Napoléon III avait encore l'espoir que les États de l'Allemagne du Sud, dont les sympathies pour la France étaient connues, se rangeraient de son côté. Mais, ainsi que Bismarck l'avait prévu, la solidarité germanique joua et les États du Sud se rallièrent à la Prusse.

Un départ lugubre. L'empereur semblait être le seul à ne pas partager l'enthousiasme qui avait soulevé la France après la déclaration de guerre. Profondément affecté par sa maladie, il semblait suivre en spectateur ces journées qui engageaient l'avenir de son pays et donnait l'impression de ne pouvoir se résoudre au conflit. Tous ceux qui l'approchèrent pendant ces jours de fièvre furent frappés par sa lassitude et son abattement. Cette guerre, il ne l'avait pas voulue, elle lui avait été imposée par son entourage et par la pression populaire, comme il l'exprima clairement dans un message aux Français, le 23 juillet : « La nation tout entière, dans un élan irrésistible, a dicté nos résolutions. » Et cette impuissance à s'opposer à la volonté quasi unanime de son peuple lui pesait d'autant plus qu'il redoutait le conflit : « La guerre qui commence sera longue et pénible », écrivait-il à l'armée le 27 juillet.

Le prince impérial au camp de Châlons. À peine âgé de quatorze ans, le prince impérial accompagna son père pendant les opérations, auxquelles il voulut participer. Peinture anonyme, musée de Compiègne.
Phot. Dubout, archives Tallandier.

Le départ de la Garde nationale. Alors que Napoléon III avait rejoint Metz en quittant Saint-Cloud sans cérémonie, les gares parisiennes étaient envahies par la foule qui fêtait les soldats et criait « À Berlin ! » pendant que s'élevait çà et là *la Marseillaise*. Gravure de *l'Illustration*.
Phot. L. L.

Contre toute attente, pendant les jours qui suivirent la déclaration de guerre, il espéra que le conflit n'aurait pas lieu. Il estimait que les Autrichiens et les Italiens parviendraient à obtenir un règlement pacifique de l'affaire. Mais ce projet de médiation échoua le 25 juillet. Malgré son découragement et sa fatigue, l'empereur décida de diriger en personne les opérations et de rejoindre l'armée à Metz. C'était une nouvelle erreur de tactique : le souverain, en abandonnant la capitale, allait s'enliser avec son armée dans une défaite que, par manque de génie militaire, il n'avait pu prévenir.

Le 28 juillet, au matin, dans la gare qui se trouvait au bas du parc du château de Saint-Cloud, Napoléon III faisait ses adieux à l'impératrice et aux ministres avant de monter dans le train qui devait l'emmener au quartier général de Metz. L'empereur n'avait pas voulu traverser Paris, pour ne pas paraître, selon ses propres dires, rechercher les ovations avant la victoire ; en fait, son état de santé était tellement défaillant qu'il avait voulu éviter une fatigue supplémentaire. Blafard, l'air épuisé, Napoléon III semblait à peine se soutenir. Il était accompagné du prince impérial, un frêle adolescent de quatorze ans, dont la participation à la campagne déplaisait fort aux militaires. Dans cette matinée orageuse, le petit groupe d'officiels qui saluaient l'empereur faisait pâle figure, et l'on était bien loin des manifestations de ferveur populaire qui avaient accompagné le départ de Napoléon III pour l'Italie en mai 1859. Privée de l'enthousiasme de la foule, l'atmosphère guindée des adieux officiels ne faisait que rendre plus sinistre ce départ et les sanglots de l'impératrice, qui venait d'être investie de la régence pour la durée de l'absence du souverain, contribuaient à donner à la scène l'allure d'une cérémonie funèbre.

Perdus d'avance. Le plan de Napoléon III était de prendre les Prussiens par surprise en lançant l'armée française au-delà du Rhin et en séparant l'Allemagne du Nord des États du Sud. Une fois la Prusse ainsi isolée, l'Autriche et l'Italie n'hésiteraient plus à rejoindre le camp de la France. Pour cette raison, l'armée française avait été répartie sur 260 km de frontières, pour pouvoir éventuellement rejoindre les troupes autrichiennes et italiennes.

Mais, en arrivant à Metz après un pénible voyage de plus de neuf heures, le souverain se rendit très vite compte qu'il était impossible d'organiser la « simple promenade militaire de Strasbourg à Berlin » qu'avait prévue son état-major. Avec effarement, il constata immédiatement la désorganisation qui régnait à Metz. Les effectifs étaient loin d'être complets. Dans la gare de Metz, s'entassaient vivres et munitions. Personne n'était là pour décharger les wagons qui ne cessaient d'arriver. « Metz ressemblait à un champ de foire », déclara plus tard Émile Ollivier.

Le laisser-aller était général. Dans la chaleur accablante de cet été 1870, les

Le maréchal Randon et son état-major. Les officiers, dont beaucoup avaient combattu au Mexique ou dans les guerres coloniales, n'étaient pas non plus préparés à mener une offensive efficace. De plus, leurs initiatives furent souvent contrariées par les hésitations de Napoléon III, qui, très atteint par sa maladie, se montra incapable de prendre rapidement des décisions. Bibliothèque du musée de l'Armée, Paris.
Phot. Larousse.

Troupes aux Tuileries. Les soldats français avec leurs tuniques bleues et leurs pantalons rouges étaient bien voyants pour affronter les Prussiens, qui savaient, de plus, combattre en se dispersant en tirailleurs. Le retard que mirent la plupart des Français à rejoindre leur lieu d'affectation ne contribua pas à mobiliser les énergies. Très vite, la ville de Metz ressembla à un grand caravansérail, où chacun était à la recherche qui de son régiment, qui de ses voitures d'équipages, qui du matériel ou de l'approvisionnement. En l'espace de quelques jours, l'embouteillage était complet. B. N.
Phot. Lauros-Giraudon.

soldats, désœuvrés, occupaient leur temps à pêcher à la ligne dans la Moselle. Ils ne trouvaient guère l'exemple de la discipline chez leurs officiers. Nombre de ces derniers avaient fait venir de Paris leurs femmes ou leurs maîtresses, et l'état-major se distrayait en menant joyeuse vie dans les cafés ou les restaurants de la ville. Il semblait que tout le monde eût oublié que la guerre était l'objet du rassemblement de tant d'hommes à Metz. Consterné, Napoléon III écrivit à l'impératrice : « Rien n'est prévu, nous n'avons pas suffisamment de troupes, je nous considère d'avance comme perdus. »

Dans l'impossibilité d'exécuter le plan qu'il avait prévu, Napoléon III perdit de précieuses journées à hésiter. À cause de la maladie qui l'amoindrissait, il se révéla impuissant à prendre une décision prompte et, de son côté, son entourage militaire manquait des qualités nécessaires pour prendre des initiatives. Beaucoup d'officiers, nommés à leur poste non pour leurs compétences, mais pour leur fortune ou leur rang social, faisaient preuve d'une médiocrité consternante et certains généraux étaient d'une telle impéritie qu'ils se montrèrent incapables de lire une carte

d'état-major. La plupart de ces officiers, qui avaient fait leur carrière dans les expéditions menées au Mexique ou en Algérie, n'avaient pas non plus l'expérience des guerres traditionnelles et des batailles rangées.

Les cuirassiers de Reichshoffen.
Face aux Français, le général von Moltke, commandant en chef des forces allemandes, et ses officiers se préparaient à surprendre leurs adversaires par une offensive menée tambour battant. Trois armées allemandes se dirigèrent vers l'Alsace et la Lorraine sous le commandement du Kronprinz, du prince Frédéric-Charles de Prusse et du feld-maréchal Steinmetz.

Le 2 août, Napoléon III, pour donner l'impression de prendre l'initiative, lança son armée à l'assaut de Sarrebruck et ce simple engagement fut présenté comme un succès éclatant. Mais la satisfaction des Français fut de courte durée, vite effacée par les défaites spectaculaires qui suivirent. Le 4 août, malgré le courage des Français qui, à un contre dix, résistèrent pendant dix heures, une division du 1er corps d'armée commandée par le général Abel Douay fut écrasée à Wissembourg par la IIIe armée allemande dirigée par le Kronprinz. La défaite de Wissembourg fit comprendre aux Français le danger de l'éparpillement de leurs effectifs le long des frontières. Aussi Mac-Mahon, à la tête de l'armée d'Alsace, fut-il chargé de concentrer les forces. Le temps lui manqua pour réaliser ce rassemblement.

Mac-Mahon avait installé son quartier général au château de Reichshoffen et établi ses troupes à Frœschwiller-Wœrth. Le 6 août, la IIIe armée allemande, regrou-

Guillaume Ier, le Kronprinz, Frédéric-Charles de Prusse, Bismarck et Moltke. Moltke, s'inspirant des campagnes de Napoléon Ier, fut l'artisan de la victoire allemande. Coll. Fildier.
Phot. Archives Tallandier.

Mac-Mahon et son état-major. Devant le danger présenté par l'éparpillement des troupes françaises, Mac-Mahon fut chargé de les regrouper. Carte postale allemande.
Phot. Fildier Cartophilie.

Charge des cuirassiers de Reichshoffen le 6 août 1870. La charge héroïque des cuirassiers à Reichshoffen et à Morsbronn permit à l'armée de Mac-Mahon de battre en retraite à l'issue de la bataille de Frœschwiller-Wœrth. Gravure allemande, B. N., cabinet des Estampes.
Phot. B. N.

Les blessés de Frœschwiller entrent à Strasbourg. « Grandes pertes en hommes et en matériel », télégraphia Mac-Mahon à Napoléon III après la défaite de Frœschwiller, qui livrait l'Alsace à l'ennemi. Sur toutes les routes, c'était la débâcle des soldats français. Aquarelle d'E. Schweitzer, bibliothèque du musée de l'Armée, Paris.
Phot. Larousse.

pée sur la Sauer avec ses 120 000 hommes, réussit facilement à mettre en fuite les 46 000 soldats français. Le massacre des Français fut évité grâce à la charge héroïque des cuirassiers qui, pour retarder l'avance des forces prussiennes, se lancèrent à l'assaut des ennemis près de Reichshoffen. Sous le feu nourri de l'artillerie ennemie, les cuirassiers s'abattirent sur le village de Morsbronn et, gênés dans leur progression par les rues étroites de la commune, furent fusillés à bout portant. Décimés, anéantis, ils avaient cependant donné le temps nécessaire au reste de l'armée française pour se dégager. La défaite de Frœschwiller livrait l'Alsace à l'armée allemande, qui, le 13 août, commençait à assiéger Strasbourg. La capitale

alsacienne allait se défendre pendant près de deux mois avant de se rendre fin septembre.

La Lorraine après l'Alsace. Le jour même où l'armée de Mac-Mahon était mise en déroute par la IIIe armée, la Lorraine était elle aussi envahie. À Spicheren, près de Forbach, le général Frossard, commandant du 2e corps d'armée, ne put résister à la Ire armée allemande. Le prince Frédéric-Charles de Prusse et Steinmetz pénétraient à leur tour en Lorraine. En une journée, la France s'était ouverte à l'envahisseur en Alsace et en Lorraine et, sur les chemins des deux provinces, commença le long exode des populations civiles mêlées aux régiments en déroute.

La nouvelle des deux défaites simultanées, parvenue à Metz dans la soirée du 6 août, y provoqua la consternation. Anéanti, Napoléon III donnait le spectacle du plus profond désarroi. Plusieurs membres de l'état-major étaient d'avis de regrouper les corps d'armée rescapés de Frœschwiller et de Forbach pour les lancer dans une grande offensive contre l'ennemi. Mais Napoléon III pensait qu'il valait mieux replier sur Châlons-sur-Marne ces corps d'armée, pour les joindre aux troupes de réserve qui se rassemblaient dans cette ville, et former ainsi une armée puissante capable de protéger Paris. Des journées entières furent de nouveau perdues en tergiversations et en tâtonnements. Enfin, le 12 août, poussé par son entourage et

par l'impératrice qui lui adressait dépêche sur dépêche, l'empereur remit au maréchal Bazaine le commandement en chef. Lui-même, le 14 août, quittait Metz pour rejoindre Châlons. Il était accompagné par les corps d'armée battus à Frœschwiller et à Forbach, qui retrouveraient à Châlons les réservistes rappelés par le gouvernement ainsi que les régiments ramenés d'Afrique. Ces opérations purent se dérouler sans trop d'encombres.

Le ministère Palikao. Dès le 5 août, des rumeurs avaient couru dans Paris sur la défaite de Wissembourg et, dans les jours qui suivirent, on commença à parler des revers essuyés en Alsace et en Lorraine. Ces bruits, qui stupéfiaient les Parisiens préparés à la victoire, furent confirmés le 8, lorsque *l'Officiel* publia la dépêche de l'empereur annonçant les défaites de Frœschwiller et de Forbach. Le gouvernement avait déjà décrété l'état de siège.

Tandis que les plus fortunés s'empressaient de quitter Paris pour se rapprocher des pays étrangers qui, en cas de catastrophe, pourraient leur fournir une retraite, les quartiers populaires de la capitale s'enflammaient. Le 9 août, la foule entoura l'Assemblée et l'on envoya la garde à cheval pour la disperser. L'opposition politique de son côté manifestait déjà les revendications qu'elle reprendra après Sedan. Dans la séance orageuse qui se tint à

Les émigrants quittent Strasbourg par la porte d'Austerlitz pour prendre le chemin de la Suisse. Aquarelle D'E. Schweitzer, bibliothèque du musée de l'Armée, Paris. *Phot. Larousse.*

Le siège de Strasbourg. La grande ville alsacienne ne se rendit qu'après trente-neuf jours d'un bombardement intensif. Aquarelle d'E. Schweitzer, bibliothèque du musée de l'Armée, Paris. *Phot. Larousse.*

Départ de la Garde mobile. Formée des exemptés et de ceux qui n'avaient pas fait de service militaire, la Garde mobile constituait une armée de seconde ligne. Mais, en 1870, elle était encore mal organisée et fut recrutée en toute hâte. *Phot. Tallandier.*

l'Assemblée le 9 août, Jules Favre réclama la constitution d'une garde nationale et la création d'un comité exécutif de quinze membres pourvus des pleins pouvoirs gouvernementaux. Aucune de ces mesures ne fut retenue par le Corps législatif. Cependant, à une grande majorité, les députés votèrent la destitution du cabinet Ollivier. L'impératrice constitua alors un nouveau ministère présidé par le général Cousin-Montauban, auquel ses victoires en Chine avaient valu le titre de comte de Palikao. Le général Trochu était nommé gouverneur militaire de Paris. Jusqu'à la fin du mois d'août, Palikao et l'impératrice continuèrent de diriger à distance les opérations militaires par les dépêches qu'ils adressaient à Napoléon III. Dans la capitale en fièvre, les bruits les plus alarmants continuaient de courir : dès le 16 août, l'ambassadeur d'Angleterre à Paris faisait savoir à Londres qu'il n'était bruit que de l'abdication de l'empereur et un journal espagnol affirma même qu'il s'était suicidé.

Vers la défaite définitive. Pendant que Napoléon III et les régiments survivants des défaites du 6 août se dirigeaient vers Châlons, Bazaine hésitait à engager une action décisive. Le 14 août, son armée sortit victorieuse d'un affrontement à Borny, sur la rive droite de la Moselle. Mais le général prussien Alvensleben fit passer ses troupes sur la rive gauche du fleuve ét bloqua la marche de Bazaine vers l'ouest. Le 16 août, à Rezonville et à Gravelotte,

Moltke rend compte à Guillaume Ier de la bataille de Rezonville.
Phot. Bildarchiv Preussischer Kulturbesitz.

Le soir de la bataille de Rezonville, le 16 août 1870. La IIe armée allemande parvint à bloquer la marche de Bazaine. Peinture d'E. Detaille, musée de Versailles.
Phot. Réunion des Musées nationaux.

Les dragons à Gravelotte. Un des épisodes les plus sanglants de la bataille de Rezonville se déroula à Gravelotte. D'après un tableau d'E. Brisset, musée royal de l'Armée, Bruxelles.
Phot. Patrick Lorette.

les Français, bien supérieurs en nombre aux Prussiens, auraient pu repousser ces derniers si Alvensleben, par des attaques ininterrompues, ne les avait arrêtés. Alors qu'il était encore possible à l'armée française de passer par le nord-ouest pour prendre la direction de Châlons, Bazaine décida de se replier sur Metz. Malgré son héroïque défense à Saint-Privat, le 18 août, Canrobert, privé des secours qu'il espérait recevoir de Bazaine, ne put briser la ligne

---

La défense du cimetière de Saint-Privat. Le 18 août, alors que Bazaine s'était déjà enfermé dans Metz, Canrobert voulut briser l'encerclement des Allemands. Un combat décisif s'engagea dans Saint-Privat, mais, ne recevant aucun renfort de Bazaine, Canrobert dut au soir évacuer le village. Les derniers affrontements de cette journée eurent lieu dans le cimetière. Après cette bataille, il n'y avait plus aucun espoir pour l'armée enfermée dans Metz. Peinture d'Alphonse de Neuville, musée de l'Armée, Paris.
Phot. Lauros-Giraudon.

---

prussienne et dut évacuer le village. L'indécision de Bazaine conduisait à une situation catastrophique, puisqu'il avait enfermé dans Metz la meilleure armée française.

Napoléon III était arrivé à Châlons le 16 août et, dès le lendemain, se concerta avec ses généraux pour décider de l'attitude à tenir. Les dépêches qui annonçaient l'encerclement de Bazaine à Metz incitaient à lui porter secours. Mais l'empereur et son état-major pensaient qu'il était préférable de faire revenir l'armée vers Paris pour protéger la ville d'une invasion éventuelle. Cependant l'impératrice et Palikao, qui, étant donné l'état d'esprit de la population parisienne, redoutaient le retour d'un empereur vaincu, déconseillèrent cette tactique par des télégrammes pressants et enjoignirent de rallier Bazaine qui avait annoncé qu'il allait tenter une sortie vers Sedan. Il serait ainsi possible, par une atta-

que de revers, de surprendre les troupes prussiennes qui assiégeaient Metz. Napoléon III, trop malade pour pouvoir résister aux objurgations de l'impératrice, se résigna à se ranger à son avis. Découragé, le souverain avait alors virtuellement abdiqué et se plaignait amèrement : « On me chasse de partout. »

Le 23 août, après que des précieuses journées eurent été perdues à discuter le pour et le contre des différentes tactiques, l'armée s'ébranlait enfin de Châlons. Le plan audacieux suggéré par l'impératrice ne pouvait réussir que si l'opération était menée avec la plus grande rapidité. Mais les Français se déplaçaient avec une lenteur désespérante, et il leur fallut neuf jours pour couvrir une distance de 95 km, ce qui supprimait tout effet de surprise. Toute chance de surprendre l'ennemi était perdue. De plus, Moltke fut averti de la

marche de l'armée par les journaux parisiens eux-mêmes, et il lui fut facile de prévenir le projet des Français en faisant remonter vers le nord les deux armées prussiennes qui marchaient sur Paris. Dès le 28 août, les premiers affrontements se produisirent entre les deux armées. Mac-Mahon hésita à continuer, mais de nouvelles dépêches de Paris l'empêchèrent de s'arrêter et il reprit bon gré mal gré sa marche sur Metz.

L'impératrice Eugénie. Nommée régente au début des hostilités, l'impératrice ne cessa pendant tout le mois d'août d'envoyer des télégrammes à Napoléon III pour lui conseiller la tactique à adopter. Elle s'opposa au retour de l'empereur à Paris et le poussa à tenter un mouvement de troupes vers Sedan pour prendre par revers les armées allemandes. Musée de Compiègne. *Phot. Larousse.*

Le général Cousin-Montauban, comte de Palikao. Appelé par l'impératrice-régente pour remplacer Ollivier, le vieux général Cousin-Montauban, qui s'était illustré en Chine, à Palikao, composa un gouvernement autoritaire de bonapartistes. Photo Disdéri, musée de l'Armée, Paris. *Phot. Larousse.*

Sedan. Le 30 août, le 5ᵉ corps, installé à Beaumont, au sud de Sedan, se laissa surprendre au bivouac par les Prussiens. Pris de court, les Français, que leur chef, le général de Failly, avait laissés s'installer sans aucune protection, furent décimés. Outre les pertes humaines — plus de 8 000 morts du côté français —, l'affaire contribua à démoraliser l'armée française et Mac-Mahon décida, le 31 août, de se replier sur Sedan dont la forteresse semblait offrir une protection suffisante. C'était en fait un emplacement dangereux, car la plaine de Sedan était entourée de collines boisées d'où les Prussiens pouvaient facilement mener leur attaque. La « cuvette de Sedan » allait être fatale pour les 125 000 hommes de Mac-Mahon bloqués par les forces allemandes deux fois plus nombreuses.

Le 1ᵉʳ septembre, Moltke lança l'offensive contre Sedan. Un corps d'armée bavarois attaqua Bazeilles, un village situé à 4 km au sud de Sedan. Une division de

La bataille de Sedan. L'armée française perdit ses dernières espérances de repousser les Prussiens dans la cuvette de Sedan, où Mac-Mahon avait cru pouvoir réorganiser ses troupes. Les actions d'éclat des Français ne furent pas suffisantes pour rompre l'encerclement des armées ennemies qui les mitraillaient sans trêve. Les changements successifs dans le commandement des forces françaises ne put qu'ajouter à la confusion de ces trois jours de combat. B. N., cabinet des Estampes.
Phot. B. N.

Les dernières cartouches. Le village de Bazeilles fut le théâtre de la résistance acharnée menée par l'infanterie de marine contre les Bavarois. Les derniers soldats français, retranchés dans une des maisons du village, luttèrent pendant plus de deux heures jusqu'à l'épuisement de leurs munitions. Bazeilles fut incendié par les Bavarois, qui massacrèrent les habitants, accusés d'avoir aidé les soldats français. Peinture d'Alphonse de Neuville, musée de la Maison des dernières cartouches, à Bazeilles.
Phot. Fotirage, archives Tallandier.

l'infanterie de marine française défendit pied à pied ses positions et, traquée par les Bavarois, lutta jusqu'à l'épuisement de ses munitions. Mac-Mahon, grièvement blessé pendant l'engagement, dut céder son commandement au général Ducrot qui, avec l'intention de dégager la route vers Mézières, ordonna à tous les corps d'armée de venir se concentrer sur le plateau d'Illy. Intervint alors le général Wimpffen, arrivé de Paris l'avant-veille : il présenta une lettre de Palikao lui donnant le commandement en cas d'incapacité de Mac-Mahon. Wimpffen annula les ordres de Ducrot et fit faire volte-face à l'armée. C'était la confusion la plus totale et, pendant que les Français, désorientés par cette suite d'ordres et de contre-ordres, manœuvraient dans la plus grande bousculade, les Prussiens resserraient leur encerclement et mettaient en place plus de 700 canons qui allaient mitrailler sans relâche les régiments français. Wimpffen tenta de briser ce cercle de feu en faisant donner la cava-

lerie. Les cuirassiers du général Bonnemain et les chasseurs d'Afrique du général Margueritte s'élancèrent avec fougue sur le plateau de Floing, mais leur charge héroïque ne put rompre l'encerclement ennemi. « Ah ! les braves gens ! les braves gens ! », s'exclama Guillaume Iᵉʳ, qui, du haut des collines, suivait l'engagement.

Napoléon III qui, pendant toute la jour-

née, eut le courage, malgré ses souffrances physiques, de s'exposer en première ligne, comprit qu'il était vain de continuer un combat aussi inutile que sanglant. Il se décida, malgré les réticences de Wimpffen, à faire hisser le drapeau blanc sur la forteresse de Sedan, et adressa au roi de Prusse une lettre de reddition transmise par le général Reille : « Monsieur mon

Le général Reille avec le drapeau blanc. Alors que Wimpffen voulait encore tenter un ultime effort, Napoléon III, qui, pendant toute la journée du 1ᵉʳ septembre, s'était tenu en première ligne, voulut éviter le massacre de ses troupes et fit hisser le drapeau blanc sur la citadelle de Sedan. Puis il envoya le général Reille vers le roi de Prusse pour lui donner la lettre dans laquelle il proposait de remettre son épée.
Phot. Tallandier.

Le général Margueritte blessé mortellement à Floing. À la tête de trois régiments de chasseurs d'Afrique, le général Margueritte tenta d'opérer une percée vers Mézières en se lançant sur l'ennemi, mais ses troupes furent massacrées par un tir fourni d'artillerie. Dès le début de l'action, le général Margueritte avait été mortellement blessé et fut remplacé par le général de Galliffet. Peinture de James Walker, musée de l'Armée, Paris.
Phot. Copyright Musée de l'Armée, Paris.

Napoléon III, accompagné de Bismarck, quitte Sedan. Ce fut un homme physiquement et moralement épuisé qui, le matin du 2 septembre, vint se constituer prisonnier. L'entrevue qu'il eut avec Bismarck, puis avec Guillaume Ier, se

déroula avec une grande courtoisie, qui ne pouvait cependant faire oublier que l'armée française tout entière était prisonnière. Peinture de Camphausen, musée de l'Armée, Munich.
Phot. Snark International.

frère, n'ayant pu mourir au milieu de mes troupes, il ne me reste qu'à remettre mon épée entre les mains de Votre Majesté. Je suis, de Votre Majesté, le bon frère. Napoléon. »

Wimpffen se rendit ensuite auprès de Moltke et de Bismarck pour négocier les termes de la capitulation. Les vainqueurs exigèrent la reddition sans condition et l'empereur, Mac-Mahon, les officiers et les

82 000 soldats se retrouvèrent prisonniers de la Prusse, à laquelle revenaient aussi les munitions, les canons et les chevaux de l'armée française. Celle-ci fut emmenée en captivité en Allemagne.

Le matin du 2 septembre, Napoléon III quittait Sedan pour retrouver, près du village de Donchery, Bismarck avec lequel il eut un bref entretien. Puis il rencontra le roi Guillaume Ier qui fut très impressionné par l'abattement du souverain. Le jour même, la captivité commençait pour l'empereur des Français qui recevait pour résidence le château de Wilhemshöhe, près de Kassel.

La déchéance de l'Empire. Dans la journée du 3 septembre, des bruits alarmants avaient couru dans les rues de la capitale. Lorsque la catastrophe de Sedan et la capitulation de la France furent officiellement connues, la foule parisienne commença à se regrouper sur les boulevards et les cris de « Déchéance ! » commencèrent à s'élever. Pendant la nuit du 3 au 4 septembre, le Corps législatif discuta longuement pour savoir s'il fallait réclamer la destitution de la dynastie, comme le demandait Jules Favre. De son côté, l'impératrice, qui refusait de céder ses pouvoirs à une commission élue par l'Assemblée, tenta, mais en vain, de faire nommer Palikao lieutenant général.

Au matin du 4 septembre, alors que les députés étaient toujours en train de délibérer, une foule dense s'amassa peu à peu autour de l'Assemblée. Sans en être véritablement empêchée par le service d'ordre qui gardait le palais Bourbon, elle parvint à s'infiltrer dans la salle des séances. Drapeau tricolore en tête, les manifestants, criant « Vive la république ! », contraignirent le président Schneider à lever la séance. Gambetta, du haut de la tribune, proclama la déchéance de l'Empire et Jules Favre entraîna la foule vers l'Hôtel de Ville, où la république fut proclamée. Pendant qu'au Corps législatif Napoléon III était déchu de tous ses pouvoirs, l'impératrice pensa un moment résister aux événements, mais se résigna à s'enfuir et trouva un asile chez son dentiste américain, avant de s'embarquer pour l'Angleterre.

Ce fut ainsi que, sans violence, sans révolution, s'effondra le régime instauré par le coup d'État du 2 décembre 1851, un régime fondé sur un coup de force et sur un plébiscite, qui ne pouvait durer qu'autant que son fondateur. Une fois celui-ci disparu, l'Empire, si fort encore quelques mois auparavant, ne pouvait que s'écrouler. Napoléon III et son règne en une seule journée avaient été entraînés dans la tourmente de Sedan.

La proclamation de la république le 4 septembre 1870. La foule parisienne, qui avait envahi le Corps législatif, se rendit à l'Hôtel de Ville. Ce fut sans aucune effusion de sang que se fit le changement de régime, et la république prit sans heurts la place de l'empire. Sur-le-champ était constitué un gouvernement de défense nationale de onze membres. Coll. Ch. Dolfus. *Phot. Tallandier.*

La foule devant le palais du Corps législatif. Dès l'annonce de la défaite de Sedan, les Parisiens se retrouvèrent devant le palais Bourbon, où s'était réuni le Corps législatif. Après avoir réussi à entrer dans la salle des séances, la foule applaudit au discours de Gambetta déclarant que « Louis Bonaparte avait cessé de régner sur la France ». Peinture de J. Guiaud et J. Didier, musée Carnavalet. *Phot. Lauros-Giraudon.*

L'impératrice Eugénie quitte les Tuileries dans la calèche de son dentiste. Il n'y avait évidemment pas de photographe pour fixer la fuite de l'impératrice et il s'agit là d'une scène reconstituée après coup. Coll. Sirot.
Phot. Flament.

Page suivante :
Après la capitulation, les troupes françaises quittaient Strasbourg et connaissaient l'humiliation de la défaite. Aquarelle d'E. Schweitzer, bibliothèque du musée de l'Armée, Paris.
Phot. Larousse.

160,   *1870 SEDAN*

Chronologie

1851

9 janvier. Le général Changarnier est relevé de son commandement en chef de l'armée de Paris.

mars. Constitution du comité pour la réélection de Louis Napoléon Bonaparte.

juillet. Discussion à l'Assemblée sur la révision de la Constitution.

19 juillet. Vote de l'Assemblée.

4 octobre. Louis Napoléon propose de modifier la loi limitant le suffrage universel.

27 octobre. Saint-Arnaud nommé ministre de la Guerre, après remaniement ministériel.

2 décembre. Coup d'État.

3 décembre. Barricades dans Paris. Mort du député Baudin.

4 décembre. Fusillade sur les Boulevards.

21-22 décembre. Plébiscite.

1852

1er janvier. *Te Deum* à Notre-Dame.

9 janvier. Décret d'expulsion de France des députés républicains.

14 janvier. Publication de la Constitution.

22 janvier. Confiscation des biens de la famille d'Orléans.

2 février. Décret sur les élections.

17 février. Décret sur la presse.

29 février. Élection du Corps législatif.

21 mars. Fondation du Crédit foncier, institution semi-publique de crédit à moyen et à long terme.

29 mars. Entrée en vigueur de la Constitution.

juillet. Remaniement ministériel.

15 août. Célébration de la Saint-Napoléon, fête nationale.

septembre-octobre. Voyages de Louis Napoléon en province.

9 octobre. Discours de Bordeaux.

16 octobre. Visite de Louis Napoléon à Abd el-Kader, prisonnier au château d'Amboise.

16 octobre. Retour de Louis Napoléon à Paris.

7 novembre. Sénatus-consulte qui rétablit la dignité impériale.

18 novembre. Création du Crédit mobilier par les frères Pereire.

21/22 novembre. Plébiscite ratifiant le sénatus-consulte.

2 décembre. Louis Napoléon est proclamé empereur.

10 décembre. Décret sur la création du Crédit foncier.

25 décembre. Sénatus-consulte qui accroît les pouvoirs de l'empereur.

Fondation du *Bon Marché* par Aristide Boucicaut.

1853

22 janvier. Napoléon III annonce son mariage aux grands corps de l'État.

30 janvier. Mariage de Napoléon III et d'Eugénie de Montijo.

1er juin. Loi sur les prud'hommes.

2 juin. Envoi de la flotte française aux Dardanelles.

9 juin. Création de la caisse de retraite pour les fonctionnaires.

1er juillet. Nomination d'Haussmann comme préfet de la Seine.

4 octobre. Déclaration de guerre de la Turquie à la Russie.

novembre. Parution des *Châtiments* de Victor Hugo.

1854

4 janvier. Les flottes française et anglaise entrent dans la mer Noire.

12 mars. Traité entre la France, la Grande-Bretagne et la Turquie.

27 mars. Déclaration de guerre à la Russie.

26 mai et 7 juin. Occupation de la Grèce par les Alliés (Français, puis Anglais).

14 juin. Loi sur l'enseignement.

20 septembre. Bataille de l'Alma.

29 septembre. Mort du général Saint-Arnaud remplacé dès le 26 par Canrobert.

octobre. Début du siège de Sébastopol.

25 octobre. Bataille de Balaklava.

5 novembre. Bataille d'Inkerman remportée par les Franco-Anglais sur les Russes de Menchikov.

14 novembre. Morny devient président du Corps législatif.

Création de la Compagnie ferroviaire de l'Est.
Première ligne régulière des Messageries maritimes entre la France et l'Algérie.

1855

26 janvier. Alliance des Franco-Anglais avec le Piémont-Sardaigne.

28 avril. Attentat de Pianori contre Napoléon III.

mai-novembre. Exposition universelle au palais de l'Industrie.

2 mai. Loi sur les travaux de Paris.

7 juin. Prise du Mamelon vert.

18 juillet. Faidherbe débloque Médine au Sénégal.

16 août. Bataille de Traktir.

8 septembre. Prise de la tour Malakoff par Mac-Mahon.

10 septembre. Prise de Sébastopol.

Création de la Compagnie ferroviaire de l'Ouest.
Début de la construction du tunnel du Mont-Cenis.
Fondation des magasins du *Louvre* par Chauchard.

1856

16 janvier. Alexandre II accepte les « garanties » exigées par les Alliés.

1er février. Protocole de Vienne.

26 février-30 mars. Congrès de Paris.

16 mars. Naissance du prince impérial.

30 mars. Traité de Paris.

17 juillet. Sénatus-consulte sur la régence.

26 juillet. Réforme de la législation des sociétés commerciales.

octobre. Début de la publication de *Madame Bovary* de Gustave Flaubert, dans la *Revue de Paris*. Traité avec le Siam.

1857

19 janvier. Loi sur les Landes.

29 avril. Dissolution du Corps législatif.

9 juin. Loi prorogeant les privilèges de la Banque de France.

21-22 juin. Élections du Corps législatif. Cinq républicains sont élus à Paris.

25 juin. Publication en volume des *Fleurs du mal* de Baudelaire.

juillet. Victoire de Faidherbe au Sénégal sur El Hadj Omar.

1858

14 janvier. Attentat d'Orsini.

1er février. Création du Conseil privé.

7 février. Le général Espinasse nommé ministre de l'Intérieur.

11 février. Lettre d'Orsini à Napoléon III l'invitant à libérer l'Italie.

19 février. Vote de la loi de sûreté générale.

27 février. Promulgation de la loi de sûreté générale.

13 mars. Exécution d'Orsini.

24 juin. Création du ministère de l'Algérie confié au prince Jérôme Napoléon.

21 juillet. Entrevue de Plombières avec Cavour.

septembre. Occupation de Tourane et de Saigon.

Fondation de la Caisse des travaux de Paris.

1859

26 janvier. Traité franco-sarde.

30 janvier. Mariage du prince Jérôme Napoléon et de Clotilde, fille de Victor-Emmanuel.

9 février. Brochure de La Gueronnière *Napoléon III et l'Italie*.

avril. Débuts des travaux du canal de Suez.

23 avril. Ultimatum autrichien au Piémont repoussé par Cavour. Les Autrichiens passent la frontière.

3 mai. La France déclare la guerre à l'Autriche.

14 mai. Arrivée de Napoléon III à Gênes.

18 mai. Concentration des troupes françaises à Alexandrie.

20 mai. Défaite des Autrichiens à Montebello.

31 mai. Victoire des zouaves à Palestro.

2 juin. Victoire de Mac-Mahon à Turbigo.

4 juin. Victoire de Magenta.

8 juin. Entrée triomphale de Napoléon III et de Victor-Emmanuel à Milan.

24 juin. Victoire de Solferino.

8 juillet. Armistice de Villafranca.

11 juillet. Rencontre à Villafranca entre Napoléon III et François-Joseph.

12 juillet. Signature des préliminaires de paix à Villafranca.

14 août. Retour des troupes françaises à Paris.

15 août. Amnistie des prisonniers politiques.

10 novembre. Traité de Zurich.

22 décembre. Brochure de La Gueronnière *le Pape et le Congrès*.

31 décembre. Lettre de Napoléon III au pape Pie IX.

1860

1er janvier. Extension des limites de Paris, qui se trouve divisé en vingt arrondissements.

4 janvier. Thouvenel remplace Walewski aux Affaires étrangères.

23 janvier. Traité de commerce franco-anglais instituant le libre-échange.

30 janvier. Suppression de *l'Univers* de Veuillot.

10 février. Rétablissement du gouverneur général en Algérie.

24 mars. Traité franco-sarde de Turin cédant Nice et la Savoie à la France.

15 avril. Plébiscite à Nice.

22 avril. Plébiscite en Savoie.

26 août 1860-5 juin 1861. Occupation de la Syrie par les troupes françaises.

septembre. Victoire française de Palikao en Chine. Voyage de Napoléon III en Algérie.

octobre. Traité franco-chinois de T'ien-Tsin.

24 novembre. Premier essai du convertisseur Bessemer.

24 novembre. Décret rétablissant le droit d'adresse.

1861

13 janvier. Discours de Keller au Corps législatif.

14 janvier. Offre de ralliement d'Émile Ollivier à l'Empire.

2 février. Sénatus-consulte instituant la publication intégrale des débats du Corps législatif.

17 février. Juárez dénonce les dettes mexicaines.

1er mars. Discours anticlérical du prince Napoléon au Sénat.

25 avril. Fondation du *Temps*.

21 juillet. Accord franco-espagnol sur les dettes mexicaines.

16 octobre. Circulaire de Persigny sur les conférences de Saint-Vincent-de-Paul.

17 octobre. Lettre de Tolain demandant l'envoi d'une délégation ouvrière à Londres.

30 octobre. Accord entre la France, l'Angleterre et l'Espagne pour une intervention au Mexique.

14 novembre. Mémoire de Fould sur les finances.

décembre. Fould nommé ministre des Finances.

décembre. Début de construction de l'Opéra de Paris.

31 décembre. Sénatus-consulte élargissant les pouvoirs financiers du Corps législatif.

1862

19 février. Accords de la Soledad.

23 février. Leçon inaugurale de Renan au Collège de France.

29 mars. Traité de commerce franco-prussien.

5 mai. Échec du siège de Puebla.

5 juin. Traité franco-annamite cédant les provinces orientales de la Cochinchine à la France.

juillet-octobre. Délégation ouvrière à l'Exposition de Londres.

15 octobre. Drouyn de Lhuys remplace Thouvenel aux Affaires étrangères.

novembre. Grâce de Napoléon III aux ouvriers typographes grévistes.

Création de la Compagnie générale transatlantique par les frères Pereire.

1863

Janvier-octobre. Insurrection polonaise.

Mars-juin. Seconde expédition du Mexique dirigée par Forey.

30 avril. Combat de Camerone.

8 mai. Prise de Puebla.

23 mai. Loi autorisant les S. A. R. L.

30-31 mai. Élections législatives.

23 juin. Retraite de Persigny.
Victor Duruy ministre de l'Instruction publique.

10 juin. Capitulation de Mexico.

10 juillet. Proclamation de la monarchie mexicaine.

11 août. Traité imposant le protectorat français au Cambodge.

13 octobre. Mort de Billault, ministre d'État.

18 octobre. Rouher nommé ministre d'État.

octobre. Salon des refusés.

Fondation du Crédit Lyonnais.

1864

11 janvier. Discours de Thiers sur les « libertés nécessaires ».

17 février. Manifeste des Soixante, rédigé par Tolain.

10 avril. Maximilien de Habsbourg accepte la couronne du Mexique.

25 mai. Loi sur les coalitions.

15 septembre. Convention franco-italienne prévoyant l'évacuation de Rome.

28 septembre. Création de l'Association internationale des travailleurs à Londres.

Fondation de la Société générale.

Création du Comité des forges, présidé par Eugène Schneider.

1865

10 mars. Mort de Morny.

avril. Émission d'un emprunt en France pour le Mexique.

juillet. Ouverture à Paris de la section française de l'Association internationale des travailleurs.

1er septembre. Walewski président du Corps législatif.

octobre. Reconnaissance de la valeur légale des chèques.

octobre. Les États-Unis demandent le

rappel des troupes françaises du Mexique.

octobre. Entrevue de Napoléon III et de Bismarck à Biarritz.

Fondation du *Printemps* par Jaluzot. *Olympia* de Manet.

1866

7-11 mars. Réprobation des réformes libérales par le Conseil privé et les ministres.

19 mars. Rejet de l'amendement libéral des Soixante-Trois.

12 juin. Convention franco-autrichienne sur la Vénétie.

3 juillet. Bataille de Sadowa.

18 juillet. Sénatus-consulte sur le droit d'amendement.

5 août. Napoléon III demande la rive gauche du Rhin.

20 août. Napoléon III demande le Luxembourg et la Belgique.

décembre. Évacuation de Rome par les troupes françaises.

1867

10-13 janvier. Pourparlers entre Napoléon III et Émile Ollivier.

19 janvier. Lettre de Napoléon III annonçant des réformes libérales.

20 janvier. Niel nommé ministre de la Guerre.

31 janvier. Le droit d'interpellation remplace le droit d'adresse.

février. Départ des troupes françaises du Mexique.

mars. Napoléon III demande la cession du Luxembourg.

14 mars. Sénatus-consulte accroissant les droits du Sénat.

avril-novembre. Exposition universelle au Champ-de-Mars.

19 juin. Exécution de Maximilien à Querétaro.
Traité franco-siamois reconnaissant le protectorat français sur le Cambodge.

12 juillet. Émile Ollivier attaque Rouher au Corps législatif.

26 juillet. Statut des sociétés anonymes.

10 août. Loi sur l'instruction primaire.

octobre. Création d'un enseignement secondaire pour jeunes filles.

3 novembre. Bataille de Mentana.

5 décembre. Discours de Rouher sur l'occupation de Rome.

1868

1er février. Vote de la loi militaire Niel. Institution de la Garde nationale mobile, destinée au renforcement des forces mobilisées.

20 mars. Condamnation de la section française de l'Internationale.

11 mai. Loi sur la presse.

6 juin. Loi sur les réunions.

18 juin. Seconde condamnation de l'Internationale.

1869

23-24 mai. Élections législatives.

7 juin. Troubles à Paris.

16 juin. Grève à La Ricamarie.

6 juillet. Ouverture de la session du Corps législatif.

12 juillet. Démissions de Rouher et de Victor Duruy.

8 septembre. Sénatus-consulte transformant l'Empire.

30 septembre. Entrevue de Napoléon III avec Émile Ollivier à Compiègne.

8 octobre. Grève à Aubin.

17-20 novembre. Inauguration du canal de Suez.

27 décembre. Napoléon III fait appel à Émile Ollivier.

Fondation de *la Samaritaine* par Ernest Cognacq et Marie-Louise Jay.

1870

2 janvier. Entrée en fonctions du ministère Émile Ollivier.

5 janvier. Révocation d'Haussmann par Émile Ollivier.

10 janvier. Assassinat de Victor Noir par le prince Pierre Bonaparte.

12 janvier. Obsèques de Victor Noir.

7 février. Arrestation de Rochefort.

21 mars. Annonce d'une réforme constitutionnelle par Napoléon III.

mars. Grève au Creusot.

5 avril. Discussion sur le projet de sénatus-consulte relatif aux droits de l'empereur.

8 et 10 avril. Démission de Buffet et de Daru.

20 avril. Sénatus-consulte sur les pouvoirs de l'empereur.

8 mai. Plébiscite.

21 mai. Sénatus-consulte instituant l'Empire parlementaire.

4 juin. Le prince Léopold de Hohenzollern accepte la couronne d'Espagne.

2 juillet. Annonce en France de l'offre de la couronne d'Espagne à Léopold de Hohenzollern.

5 juillet. Troisième condamnation de l'Internationale. Discours de Gramont au Corps législatif contre la candidature Hohenzollern.

12 juillet. Renonciation de Léopold de

Hohenzollern au trône d'Espagne, sous la pression des grandes puissances.

13 juillet. Rencontre à Ems entre Guillaume Ier et l'ambassadeur de France, Benedetti. Dépêche d'Ems, volontairement tronquée par Bismarck.

14 juillet. Trois conseils des ministres à Paris.

15 juillet. Demande des crédits de guerre au Corps législatif.

15-16 juillet. Vote des crédits de guerre par le Corps législatif.

19 juillet. La France déclare la guerre à la Prusse.

25 juillet. Projet de médiation austro-italienne.

28 juillet. Napoléon III et le prince

impérial quittent Paris. Régence de l'impératrice Eugénie.

2 août. Engagement devant Sarrebruck.

4 août. Défaite et mort du général Douay à Wissembourg.

6 août. Défaite de Mac-Mahon à Reichshoffen-Frœschwiller. Invasion de l'Alsace. Défaite de Frossard à Forbach-Spicheren. Invasion de la Lorraine.

9 août. Chute du ministère Émile Ollivier. Cousin-Montauban, comte de Palikao, forme le nouveau gouvernement.

13 août-27 septembre. Siège de Strasbourg.

14 août. Repli de Napoléon III sur le camp de Châlons-sur-Marne. Succès des Français à Borny.

15-16 août. Projet d'arrestation des chefs de l'opposition républicaine.

16 août. Batailles de Rezonville et de Gravelotte.

17 août. Arrivée à Paris du général Trochu, nommé gouverneur militaire de la capitale.

18 août. Défaite de Saint-Privat.

23 août-1er septembre. Marche de l'armée de Mac-Mahon de Châlons-sur-Marne vers Sedan.

30 août-2 septembre. Bataille de Sedan.

30 août. Défaite de Beaumont.

1er septembre. Défaite de Bazeilles. Le drapeau blanc est amené sur la citadelle de Sedan.

2 septembre. Début de la captivité de Napoléon III.

3 septembre. Annonce officielle de la défaite de Sedan à Paris. Départ de Napoléon III pour Wilhelmshöhe. Jules Favre réclame la déchéance de l'empereur.

4 septembre. Gambetta proclame la déchéance de l'Empire.

Arrivée de la reine Victoria à Paris, gare de l'Est, le 18 août 1855. Musée Carnavalet.
Phot. Lauros-Giraudon.

Dictionnaire des personnages

Baltard VICTOR *(Paris 1805 - id. 1874)*. Grand prix d'architecture en 1833, il fut nommé directeur des Travaux de Paris. Chargé en 1854 de la construction des Halles centrales, il expérimenta une nouvelle conception architecturale en construisant des voûtes portées par une armature métallique apparente. Dans une autre de ses grandes réalisations, l'église Saint-Augustin, il revint à un style plus classique.

Baroche PIERRE JULES *(La Rochelle 1802 - Jersey 1870)*. Après avoir, en tant qu'avocat, plaidé pour des conspirateurs républicains sous la monarchie de Juillet, il devint ministre de l'Intérieur en 1850 et ministre des Affaires étrangères en 1851. Il mena une politique conservatrice et contribua à faire voter la loi du 31 mai 1850, qui restreignait le suffrage universel. Sous le second Empire, il fut président du Conseil d'État de 1852 à 1863 ; puis, en tant que ministre des Cultes et de la Justice (de 1863 à 1869), il s'opposa à la publication du *Syllabus*.

Baudin ALPHONSE *(Nantua 1811 - Paris 1851)*. Ce médecin fut élu député à l'Assemblée législative en 1849. Au lendemain du coup d'État du 2-Décembre, il tenta de soulever les ouvriers du faubourg Saint-Antoine et fut tué sur une barricade.

Bazaine — Phot. Lauros-Giraudon

Bazaine FRANCOIS ACHILLE *(Versailles 1811 - Madrid 1888)*. Il se distingua en Algérie et pendant les guerres de Crimée et d'Italie. Envoyé en 1862 au Mexique en remplacement du général Forey, il prit Puebla et fut nommé maréchal en 1864. Par suite de son mariage avec une jeune Mexicaine, il intrigua pour évincer l'empereur Maximilien. Disgracié à son retour en France, il dut à sa grande popularité d'être nommé en 1869 commandant de la Garde impériale et, en 1870, commandant en chef de l'armée du Rhin. Par ses hésitations, il se laissa enfermer dans Metz. À l'annonce de la chute de l'Empire, il voulut jouer un rôle politique et négocia avec Bismarck, mais dut capituler en octobre 1870. Condamné à la peine de mort par un conseil de guerre en 1873, il vit sa peine commuée en emprisonnement, mais parvint à s'échapper en 1874 et finit sa vie en Espagne.

Benedetti VINCENT, COMTE *(Bastia 1817 - Paris 1900)*. Après avoir été nommé en 1855 directeur des Affaires politiques au ministère des Affaires étrangères, il négocia avec l'Italie en 1860 la cession de Nice et de la Savoie à la France. Il fut ensuite ambassadeur de France à Turin, puis, à partir de 1864, à Berlin. En 1866, il fut chargé de demander à la Prusse la cession de la Belgique et du Luxembourg. Après le retrait de la candidature de Léopold de Hohenzollern au trône d'Espagne, il présenta au roi de Prusse les demandes de garanties de la France. Il prit sa retraite en 1871.

Billault ADOLPHE AUGUSTIN MARIE *(Vannes 1805 - près de Nantes 1863)*. Fils d'un receveur des douanes, il mena une brillante carrière d'avocat à Nantes et fut élu député d'Ancenis en 1837. Président du Corps législatif à partir de 1852, il occupa les fonctions de ministre de l'Intérieur, puis de ministre d'État. Très intéressé par les questions sociales, il prit une part active à la création de nombreuses institutions charitables.

Bismarck OTTO, PRINCE VON *(Schönhausen, Magdeburg, 1815 - Friedrichsruh 1898)*. Né dans une famille de la noblesse poméranienne, il fit ses études à l'université de Göttingen et entra comme député au Landtag de Prusse en 1847, puis comme représentant de la Prusse à la diète de Francfort en 1851. En 1862, il fut nommé par Guillaume Iᵉʳ président du Conseil et se consacra à la réalisation de l'unité allemande. Après avoir acquis les duchés danois du Schleswig et du Holstein, il reconstitua, après la victoire de la Prusse sur l'Autriche à Sadowa en 1866, une Confédération d'Allemagne du Nord autour de la Prusse. Le succès de la guerre menée contre la France en 1870 lui permit de faire proclamer Guillaume Iᵉʳ empereur d'Allemagne. Après 1871, il dut engager contre les catho-liques prussiens la guerre religieuse du Kulturkampf et instaura un socialisme d'État. À l'extérieur, il mena à bien avec l'Autriche et l'Italie la Triple-Alliance. L'avènement de Guillaume II le contraignit à se retirer du pouvoir en 1890.

Eugène Bonaparte — Phot. Dubout, archives Tallandier

Bonaparte EUGÈNE LOUIS NAPOLÉON, dit LE PRINCE IMPÉRIAL *(Paris 1856 - Ulundi, Zoulouland, 1879)*. Fils de Napoléon III et d'Eugénie de Montijo, il suivit ses parents dans leur exil en Angleterre après la chute de l'Empire. Il fit son éducation militaire à l'école de Woolwich et fut tué au cours d'une reconnaissance de l'armée britannique au Zoulouland.

Bonaparte MATHILDE LETIZIA WILHELMINE, dite LA PRINCESSE MATHILDE *(Trieste 1820 - Paris 1904)*. Fille de Jérôme, roi de Westphalie, elle fut élevée à Rome et à Florence. Demandée tout d'abord en mariage par son cousin Louis Napoléon, elle épousa en 1841 le prince russe Anatole Demidov de San Donato, dont elle se sépara au bout de quatre ans. Très cultivée, elle tint à Paris un des salons les plus brillants du second Empire, fréquenté par les plus grands noms de la littérature et de la peinture.

Bonaparte NAPOLÉON JOSEPH CHARLES PAUL, dit LE PRINCE JÉRÔME *(Trieste 1822 - Rome 1891)*. Fils de Jérôme, roi de Westphalie, il se lia d'amitié très jeune avec son cousin Louis Napoléon. Sous la IIᵉ République, il siégea aux différentes Assemblées dans les rangs des Montagnards et fut surnommé « prince de la Montagne ». Ministre de l'Algérie et des colonies en 1858, il épousa Clotilde, fille de Victor-Emmanuel II et poussa son beau-père à réaliser l'unité italienne. À partir de 1860, il s'opposa à la politique menée par Napoléon III.

Bonaparte PIERRE-NAPOLÉON *(Rome 1815 - Versailles 1881)*. Sixième enfant de Lucien Bonaparte, il prit part en 1831 à l'insurrection des Romagnes, puis combattit en Colombie aux côtés de Bolivar. Député de la Corse à l'Assemblée constituante de 1848, il s'opposa au coup d'État du 2-Décembre. En janvier 1870, il tua au cours d'une altercation le journaliste Victor Noir et fut acquitté par la Haute Cour de justice.

Bonard LOUIS-ADOLPHE *(Cherbourg 1805 - Amiens 1867)*. Fait prisonnier en Algérie en 1830, il fut délivré au moment de la prise d'Alger. De 1853 à 1855, il gouverna la Guyane et devint contre-amiral. Nommé en 1861 commandant en chef des troupes françaises envoyées en Cochinchine, il mena une campagne victorieuse qui obligea l'empereur Tu-Duc à signer le traité de Saigon cédant les provinces occidentales de la Cochinchine à la France.

Boucicaut ARISTIDE *(Bellême 1810 - Paris 1877)*. Petit employé de commerce, il fonda en 1852 *Au Bon Marché*, dans lequel il expérimenta avec succès de nouvelles méthodes commerciales. Sa fortune lui permit de financer de nombreuses œuvres philanthropiques. Après sa mort, sa femme, Marguerite Guérin *(Verjux 1816 - Cannes 1887)*, poursuivit son oeuvre.

Buffet — Phot. Lauros-Giraudon.

Buffet LOUIS *(Mirecourt, Vosges, 1818 - Paris 1898)*. Cet avocat devint député des Vosges à l'Assemblée constituante en 1848 et fut nommé ministre du Commerce. Élu au Corps législatif en 1863 et en 1869, il devint ministre des Finances dans le cabinet Émile Ollivier et démissionna en avril 1870. Il fut député des Vosges à l'Assemblée nationale de 1871 et s'opposa à la politique de Thiers. En 1873, il devint président de l'Assemblée et reçut en 1875 le portefeuille de ministre de l'Intérieur. Il démissionna en 1876.

Canrobert - Phot. Patrick Lorette.

Canrobert FRANCOIS CERTAIN *(Saint-Céré, Lot, 1809 - Paris 1895).* Après avoir participé à la conquête de l'Algérie, il soutint Louis Napoléon lors du coup d'État du 2-Décembre. Pendant la guerre de Crimée, il succéda à Saint-Arnaud en 1854. Lors de la guerre de 1870, il s'illustra en défendant Saint-Privat et fut fait prisonnier à Metz. Il devint l'un des chefs du parti bonapartiste sous la IIIe République.

Castiglione - Phot. Lauros-Giraudon.

Castiglione VIRGINIA OLDOINI, COMTESSE VERASIS DI *(Florence 1837 - Paris 1899).* Appartenant à la noblesse génoise et mariée en 1854 à un écuyer de Victor-Emmanuel, elle dut à sa très grande beauté d'être envoyée par Cavour auprès de Napoléon III (dont elle devint la maîtresse) et contribua ainsi à l'alliance de la France et du Piémont. En 1859, déçue par la conclusion de la guerre d'Italie, elle se brouilla avec l'empereur. En 1873, elle soutint la cause orléaniste, puis vécut dans une retraite complète à Paris.

Cavour CAMILLO BENSO, COMTE *(Turin 1810 - id. 1861).* Né dans une famille de la noblesse piémontaise, il fonda en 1847 le journal *Il Risorgimento* dans lequel il fit campagne pour donner au Piémont une constitution libérale. Élu député en 1848, il devint ministre de l'Agriculture en 1850, puis des Finances en 1851. En novembre 1852, Victor-Emmanuel l'appela à la présidence du Conseil et Cavour s'employa à faire de son pays un grand État moderne. Il réussit à convaincre Napoléon III de s'engager dans la lutte pour l'unité de l'Italie, mais, déçu par l'armistice de Villafranca, démissionna. Revenu à la présidence du Conseil en 1860, il put assister à la proclamation du royaume d'Italie avant d'être emporté par une maladie soudaine.

Changarnier - Phot. Larousse.

Changarnier NICOLAS ANNE THÉODULE *(Autun 1793 - Paris 1877).* Il se distingua pendant la conquête de l'Algérie et, en 1848, fut nommé commandant militaire de Paris. Ses opinions orléanistes le firent relever de ses fonctions en 1851 par Louis Napoléon et il fut proscrit après le coup d'État du 2-Décembre. De retour en France en 1859, il servit en 1870 dans l'armée de Metz. Élu à l'Assemblée nationale parmi les députés royalistes, il contribua à la chute de Thiers.

Charlotte de Belgique *(Laeken 1840 - Bouchout, près de Bruxelles, 1927).* Fille du roi des Belges Léopold Ier et de Louise d'Orléans, elle épousa en 1857 l'archiduc Maximilien de Habsbourg. Lorsque celui-ci devint empereur du Mexique, elle l'accompagna à Mexico, puis revint en 1866 en Europe pour demander à Napoléon III de venir en aide à son mari. N'ayant pu réussir dans sa démarche, elle sombra dans la folie.

Chauchard ALFRED *(Les Mureaux 1821 - Paris 1909).* Cet ancien employé du magasin *Au Pauvre Diable* fonda les magasins du *Louvre* en 1855. Il légua au musée du Louvre l'importante collection d'œuvres d'art qu'il avait constituée.

Chevalier - Phot. Lauros-Giraudon.

Chevalier MICHEL *(Limoges 1806- Montplaisir, Hérault, 1879).* Ce saint-simonien dirigea la revue *le Globe* de 1830 à 1832 et vécut dans la communauté de Ménilmontant fondée par Enfantin. Rallié à l'Empire, il mena avec Richard Cobden les négociations qui conduisirent à la signature du traité de libre-échange entre la France et l'Angleterre en 1860.

Cobden RICHARD *(Dunford Farm, Sus-* sex, 1804 - Londres 1865). Cet ancien berger parvint à créer en 1828 une manufacture de toiles et s'intéressa au libre-échange. En 1838, il anima l'Anti-Corn Law League, qui militait pour supprimer le protectionnisme en Angleterre. Devenu membre des Communes en 1841, il fit voter en 1846 et 1851 les lois libre-échangistes et signa avec Michel Chevalier le traité instituant le libre-échange entre la France et l'Angleterre.

Cognacq ERNEST *(Saint-Martin-en-Ré 1839 - Paris 1928).* Ce camelot du Pont-Neuf fonda en 1869 les magasins *À la Samaritaine.* Avec l'aide de sa femme, Marie-Louise Jay *(Samoëns 1838-Paris 1925),* il anima de nombreuses œuvres philanthropiques et, à sa mort, légua une somme d'argent destinée à être versée annuellement par l'Académie française aux familles nombreuses.

Cousin-Montauban CHARLES, COMTE DE PALIKAO *(Paris 1796 - Versailles 1878).* Après avoir combattu en Algérie, il commanda la deuxième expédition envoyée en Chine en 1859 et remporta la victoire de Palikao en 1860. En août 1870, il fut nommé chef du gouvernement à la place d'Émile Ollivier. Après le 4 septembre 1870, il se réfugia en Belgique, puis revint en France après l'armistice.

Daru NAPOLÉON *(Paris 1807 - id. 1890).* Fils de Pierre Daru, il siégea à la Chambre des pairs de 1832 à 1848, puis fut élu député de la Manche à l'Assemblée constituante de 1848. Arrêté au moment du coup d'État du 2-Décembre, il vécut dans la retraite jusqu'en 1869, année où il devint député au Corps législatif et fut nommé ministre des Affaires étrangères par Émile Ollivier. Après la guerre de 1870, il redevint député de la Manche, puis sénateur.

Delescluzes — Phot. Lauros-Giraudon.

Delescluzes LOUIS CHARLES *(Dreux 1809 - Paris 1871).* Il prit une part active aux révolutions de 1830 et de 1848. Ses positions antinapoléoniennes lui valurent d'être déporté en 1849 et il s'exila à Londres, d'où il revint clandestinement en France en 1853. Arrêté, il fut déporté en Guyane jusqu'en 1859. En 1868, il fonda le journal républicain *le Réveil.* Membre de la Commune de Paris et ministre de la Guerre, il fut tué sur une barricade pendant la semaine sanglante.

Dollfus JEAN *(Mulhouse 1800 - id. 1887).* Né dans une famille d'industriels alsaciens installés à Mulhouse depuis le XVIᵉ siècle, il donna un grand essor à ses filatures et construisit des cités ouvrières. Après s'être opposé courageusement à l'invasion allemande de 1870, il se fit élire député de Mulhouse au Reichstag, où il ne cessa de protester contre l'annexion de son pays par l'Allemagne.

Douay CHARLES ABEL *(Draguignan 1809 - Wissembourg 1870).* Ce saint-cyrien commença sa carrière militaire en Algérie, puis s'illustra en Crimée et en Italie. Au début de la guerre de 1870, il livra bataille aux Prussiens à Wissembourg, le 4 août, et fut tué au cours de l'engagement.

Doudart de Lagrée ERNEST *(Saint-Vincent-de-Mercuze, Isère, 1823 - Tong-Tchouan, Yun-nan, 1868).* Ce polytechnicien officier de marine, après avoir

Doudart de Lagrée - Phot. Lauros-Giraudon.

participé à la guerre de Crimée, reçut en 1862 le commandement des troupes françaises au Cambodge. Après avoir négocié le protectorat de la France sur ce pays, il entreprit en 1866 d'explorer la vallée du Mékong. Il mourut de maladie en atteignant le Yun-nan.

Drouyn de Lhuys ÉDOUARD *(Paris 1805 - id. 1881).* Élu député sous la monarchie de Juillet et la IIᵉ République, il devint ambassadeur à Londres en 1849, puis, en 1852, ministre des Affaires étrangères. N'ayant pas réussi à dissuader Napoléon III d'entreprendre la campagne de Crimée, il démissionna en 1855. Rappelé en 1862 au ministère des Affaires étrangères, il ne parvint pas en 1866 à obtenir de Bismarck des concessions territoriales et se retira.

Ducrot — Phot. Larousse.

Ducrot AUGUSTE ALEXANDRE *(Nevers 1817 - Versailles 1882).* Ce général qui avait combattu en Algérie et en Italie se distingua à Frœschwiller et, après la blessure de Mac-Mahon à Bazeilles, le 1ᵉʳ septembre, prit la tête de l'armée de Châlons. Remplacé par le général Wimpffen, il fut fait prisonnier à Sedan, puis s'évada et commanda un corps d'armée pendant le siège de Paris. Élu député monarchiste de la Nièvre en 1871, il facilita le rapprochement des légitimistes et des orléanistes et tenta de restaurer la monarchie en 1872. Ce fut en vain, du fait de l'intransigeance du comte de Chambord.

Dupanloup FÉLIX *(Saint-Félix, Savoie, 1802 - château de Lacombe, Savoie, 1878).* Ordonné prêtre en 1825, il dirigea de 1837 à 1845 le petit séminaire de Saint-Nicolas-du-Chardonnet, puis devint évêque d'Orléans en 1849. Pendant le second Empire, il fut le porte-parole des catholiques libéraux et combattit l'ultramontanisme de Mᵍʳ Pie et de Veuillot. Élu député en 1871, il prépara la loi sur l'enseignement supérieur votée en 1875. Il démissionna de l'Académie française en 1871 pour protester contre l'élection de Littré.

Duruy VICTOR *(Paris 1811 - id. 1894).* Ce normalien, professeur à l'École polytechnique, devint ministre de l'Instruction publique en 1863 et, jusqu'en 1869, mit en œuvre d'importantes réformes libéralisant l'enseignement, développant les écoles primaires et instituant un enseignement secondaire pour les filles. Il composa de nombreux ouvrages historiques dont une *Histoire des Romains.*

Duvernois CLÉMENT *(Paris 1836 - id. 1879).* Ce député des Hautes-Alpes élu au Corps législatif en 1869 servit d'intermédiaire entre Napoléon III et Émile Ollivier dans les négociations qui devaient conduire à la constitution du cabinet Ollivier en 1870. Dans le gouvernement constitué en août 1870, il reçut le portefeuille de l'Agriculture. Il se retira en Angleterre après le 4 septembre.

Enfantin BARTHÉLEMY PROSPER, DIT LE PÈRE ENFANTIN *(Paris 1796 - id. 1864).* Ce polytechnicien, fils de banquier, se consacra à la défense des thèses saint-simoniennes. En 1831, il fonda à Ménilmontant une communauté, mais l'application de ses doctrines sur l'émancipation lui valut d'être condamné en 1832 pour outrages aux mœurs. Gracié, il se rendit en Égypte où il fonda une société pour le percement de l'isthme de Suez. Revenu en France, il créa en 1845 la Compagnie ferroviaire de Lyon.

Enfantin - Phot. Bulloz.

Espinasse CHARLES ESPRIT *(Saissac, Aude, 1815 - Magenta 1859).* Il servit en Afrique et prit part en 1849 à l'expédition de Rome. Lors du coup d'État du 2-Décembre, il se distingua en investissant la Chambre des députés. Après l'attentat d'Orsini, il devint ministre de l'Intérieur et inspira la loi de sûreté générale. Il fut tué pendant la bataille de Magenta.

Eugénie EUGENIA MARÍA DE MONTIJO DE GUZMÁN, COMTESSE DE TEBA *(Grenade 1826 - Madrid 1920).* Fille d'un grand d'Espagne, elle épousa en 1853 Napoléon III. Après la naissance du prince impérial en 1856, elle voulut jouer un rôle politique, poussant son mari à l'expédition du Mexique et à la déclaration de guerre à la Prusse. Après la défaite de Sedan, elle se retira en Angleterre.

Faidherbe - Phot. Larousse.

Faidherbe LOUIS LÉON CÉSAR *(Lille, 1818 - Paris 1889).* Après avoir servi en

Algérie et en Guadeloupe, il fut envoyé en 1852 au Sénégal et en devint le gouverneur en 1854. Jusqu'en 1865, il réalisa une œuvre considérable dans ce pays, menant à la fois des campagnes d'annexion à l'intérieur du pays et une mise en valeur économique des territoire conquis. En 1870, il commanda l'armée du Nord, puis en 1971, devint député du Nord. Son expérience du Sénégal lui inspira de nombreux ouvrages d'ethnographie africaine.

Failly PIERRE LOUIS CHARLES DE *(Rozoy-sur-Serre, Aisne, 1810 - Compiègne 1892).* Après la guerre de Crimée, cet officier devint l'aide de camp de Napoléon III et prit part aux batailles de Magenta et de Solferino. En 1867, à la tête du corps expéditionnaire français chargé de défendre les États pontificaux, il remporta la victoire de Mentana.

Favre - Phot. Lauros-Giraudon.

Favre JULES *(Lyon 1809 - Paris 1880).* Cet avocat, député aux Assemblées de 1848-49, se montra un violent opposant à l'Empire. En 1857, il fut un des cinq députés républicains élus au Corps législatif et, en 1858, se chargea de la défense d'Orsini. Il joua un rôle de premier plan dans la destitution de l'empereur en 1870 et participa au gouvernement de la Défense nationale en tant que ministre des Affaires étrangères. À ce titre, il mena les négociations avec Bismarck et signa le traité de Francfort en mai 1871. Il démissionna peu après.

Fleury - Phot. B. N.

Fleury ÉMILE FÉLIX, COMTE *(Paris 1815-id. 1884).* Il seconda Louis Napoléon dans le coup d'État du 2-Décembre et devint l'aide de camp de l'empereur, qui le nomma ambassadeur de France en Russie en 1867. Sous la IIIe République, il fut à la tête du parti bonapartiste.

Forey - Phot. Lauros-Giraudon.

Forey ÉLIE-FRÉDÉRIC *(Paris 1804 - id. 1872).* Nommé général de division après l'expédition d'Alger, il appuya Louis Napoléon lors du coup d'État du 2-Décembre et, pendant la campagne d'Italie, remporta la victoire de Montebello. Commandant en chef des troupes françaises du Mexique, il s'empara de Puebla en 1863 et fut promu maréchal de France.

Fortoul HIPPOLYTE *(Digne 1811 - Ems 1856).* Élu député des Basses-Alpes à l'Assemblée constituante de 1849, puis à l'Assemblée législative, il aida à la préparation du coup d'État du 2-Décembre. Il fut nommé ministre de l'Instruction publique en 1851 et prit un certain nombre de mesures autoritaires, révoquant de nombreux professeurs de l'Université et supprimant les agrégations d'histoire et de philosophie.

Fould ACHILLE *(Paris 1800 - La Loubère, Hautes-Pyrénées, 1867).* Fils d'un banquier, il fut ministre des Finances de 1849 à 1852, puis de nouveau de 1861 à sa mort. Il contribua à l'essor financier du second Empire, fonda avec les frères Pereire le Crédit mobilier et créa de nombreuses caisses de retraite. Après l'attentat d'Orsini (1858), il entra dans le Conseil privé de l'empereur. Il fut un farouche partisan du libéralisme économique.

Fould - Phot. B. N.

Frossard CHARLES AUGUSTE *(Versailles 1807 - Châteauvillain, Haute-Marne, 1875).* Ce polytechnicien, devenu en 1857 aide de camp de Napoléon III, fut nommé chef de la maison militaire de l'empereur et gouverneur du prince impérial. Pendant la guerre de 1870, placé à la tête du 2e corps de l'armée du Rhin, il attaqua le 2 août la ville de Sarrebruck, puis fut battu à Forbach et ramena ses troupes à Metz. Après la capitulation, il fut emmené en Allemagne comme prisonnier.

Garnier CHARLES *(Paris 1825 - id. 1898).* Cet ancien prix de Rome devint en 1860 architecte de la Ville de Paris et remporta en 1861 le concours ouvert pour la construction du nouvel Opéra. Le bâtiment, édifié dans le style baroque avec une grande profusion d'ornements, fut inauguré en 1875.

Germain - Phot. Crédit Lyonnais.

Germain HENRI *(Lyon 1824 - Paris 1905).* Il fonda le Crédit Lyonnais, dont il présida le conseil d'administration. En 1869, il fut élu au Corps législatif, puis de 1871 à 1889, à l'Assemblée nationale, où il participa aux travaux des commissions financières.

Fould - Phot. B. N.

Gramont ANTOINE ALFRED AGÉNOR, DUC DE *(Paris 1819 - id. 1880).* Ce polytechnicien occupa plusieurs postes diplomatiques successivement à Stuttgart (1852), Turin (1853), Rome (1857) et Vienne (1861). Ministre des Affaires étrangères en 1870, il contribua à la déclaration de guerre à la Prusse en chargeant Benedetti d'exiger des garanties du roi de Prusse. Il tomba avec le cabinet Ollivier dès août 1870.

Gréard OCTAVE *(Vire 1828 - Paris 1904).* Ancien élève de l'École normale et inspecteur d'académie, il fut nommé en 1866 directeur du service de l'enseignement primaire de la Seine et aida Victor Duruy à élaborer ses réformes scolaires. En 1872, il devint directeur au ministère de l'Instruction publique, puis, en 1879, vice-recteur de l'académie de Paris.

Guéroult ADOLPHE *(Radepont, Eure, 1810 - Vichy 1872).* Ce partisan de la doctrine saint-simonienne fut incarcéré après le coup d'État du 2-Décembre. Il fonda en 1859 *l'Opinion nationale,* organe saint-simonien qui collabora aux activités du cercle du Palais-Royal fondé avec l'appui de Napoléon III. Élu député de Paris en 1863, il soutint la politique d'Émile Ollivier.

Haussmann GEORGES EUGÈNE, BARON *(Paris 1809 - id. 1891).* D'origine alsacienne, il fit ses débuts dans la carrière préfectorale en 1831. Ayant aidé Napoléon III lors du coup d'État du 2-Décembre, il fut nommé préfet de la Seine en 1853 et, dans ce poste qu'il occupa jusqu'en 1870, il se consacra à la transformation et à l'embellissement de la capitale. Les opérations de spéculation auxquelles il se livra pendant son mandat lui valurent de nombreuses critiques, dont la plus célèbre fut le pamphlet de

Jules Ferry, *les Comptes fantastiques d'Haussmann*. Relevé de ses fonctions en 1870 par Émile Ollivier, il fut élu sous la IIIe République député de la Corse (1877-1881).

Juárez Benito *(San Pablo Guelatao, Oaxacá, 1806 - Mexico 1872)*. Cet avocat mexicain d'origine indienne devint président de la République en 1858. Ayant en 1861 refusé de reconnaître les dettes extérieures du Mexique, il provoqua l'intervention des Européens dans son pays. Après la nomination de Maximilien de Habsbourg comme empereur du Mexique, il organisa dans le nord du pays la résistance à l'occupation française et, après le départ des troupes impériales, s'empara de Maximilien, qu'il fit fusiller en 1867. Il fut alors réélu à la présidence de la République.

La Grandière Pierre Paul Marie de *(Quimper 1807 - id. 1876)*. Cet officier explora le Paraná et l'Uruguay et, devenu vice-amiral en 1865, fut nommé gouverneur de la Cochinchine et commandant en chef.

La Valette Charles, Marquis de *(Senlis 1806 - Paris 1881)*. Ce député de Bergerac se rallia à Napoléon III au moment du coup d'État du 2-Décembre. Après avoir été ambassadeur de France en Turquie, il fut nommé ministre de l'Intérieur en 1865, puis, de 1868 à 1869, occupa le poste de ministre des Affaires étrangères.

Leboeuf – Phot. Pierre Petit.

Leboeuf Edmond *(Paris 1809 - Moncelen-Trun, Orne, 1888)*. Après avoir participé à la guerre de Crimée, ce général dirigea l'artillerie pendant la bataille de Solferino. Appelé au ministère de la Guerre en janvier 1870, il devint, en mars de la même année, maréchal de France. Major général de l'armée du Rhin, il fut destitué à la suite des premiers revers de la France.

Lesseps - Phot. Luc Joubert, archives Tallandier.

Lesseps Ferdinand Marie, vicomte de *(Versailles 1805 - La Chênaie, Indre, 1894)*. Fils d'un diplomate en poste en Égypte, il commença lui aussi par occuper des postes consulaires en Égypte, où il se lia d'amitié avec le prince héritier Sa'ïd. Il fut ensuite en poste à Madrid, puis à Rome, mais, en raison de ses initiatives trop hardies, dut démissionner. Revenu en Égypte en 1854 après l'accession au trône de Sa'ïd, il obtint l'autorisation de celui-ci d'entreprendre les travaux de percement du canal de Suez, ce qu'il fit de 1859 à 1869. L'aboutissement de cette œuvre lui valut une gloire considérable et, en 1876, il projeta de réaliser le percement de l'isthme de Panamá. La faillite de la compagnie de Panamá, dont il était le président, et le scandale qui en résulta contribuèrent à faire perdre la raison à Ferdinand de Lesseps, qui ne connut même pas sa condamnation à cinq ans de prison.

Lorencez Charles Ferdinand Latrille, comte de *(Paris 1814 - Laas 1892)*. Ce petit-fils du maréchal Oudinot s'illustra en Algérie et en Crimée. Placé en 1862 à la tête du corps expéditionnaire envoyé au Mexique, il échoua devant Puebla et fut remplacé par le général Forey. En 1870, il fut fait prisonnier par les Allemands après la capitulation de Metz.

Mac-Mahon Edme Patrice Maurice comte de, duc de Magenta *(Sully, Saône-et-Loire, 1808 - château de la Forêt, Loiret, 1893)*. Fils d'un pair de France d'origine irlandaise, il participa à l'expédition d'Algérie en 1830, puis se distingua pendant la guerre de Crimée en s'emparant du fort de Malakoff. De 1864 à 1870, il occupa les fonctions de gouverneur général de l'Algérie. En 1870, à la tête de l'armée du Rhin, il fut battu à Wissembourg et à Frœschwiller, tenta de dégager Bazaine replié sur Metz, puis fut encerclé dans Sedan, où il fut blessé et fait prisonnier. Libéré, il fut placé par Thiers à la tête de l'armée des versaillais. En 1873, à la suite de la chute de Thiers et de l'échec de la coalition monarchiste, il fut élu président de la République. En 1877, il provoqua la démission de Jules Simon et prononça la dissolution de l'Assemblée. N'ayant pu faire échouer les républicains aux élections législatives de 1877, il fut contraint de démissionner en janvier 1879 après les élections sénatoriales qui marquèrent un nouveau succès du parti républicain.

Magnan - Phot. Lauros-Giraudon.

Magnan Bernard Pierre *(Paris 1791- Paris 1865)*. Il participa aux expéditions d'Espagne en 1823 et d'Alger en 1830. Après les journées de juin 1848, où il prit part à la répression de l'insurrection, il devint député et fut nommé par Louis Napoléon commandant militaire de Paris en 1851. Son rôle décisif lors du coup d'État du 2-Décembre lui valut d'être nommé maréchal.

Magne Pierre *(Périgueux 1806 - château de Montaigne, Dordogne, 1879)*. Fils d'un artisan lainier, il fut élu député en 1843. Spécialiste des questions financières, il occupa les fonctions de ministre des Finances de 1854 à 1860, puis de 1867 à 1870, enfin, sous la IIIe République, de 1873 à 1874.

Margueritte Jean Auguste *(Manheulles, Meuse, 1823 - château de Beauraing, Belgique, 1870)*. Ce fils d'un brigadier de gendarmerie servant en Algérie s'engagea dans les chasseurs d'Afrique en 1842 et se distingua pendant l'expédition du Mexique. Durant la guerre de 1870, il dirigea au plateau d'Illy, lors de la bataille de Sedan, la charge héroïque au cours de laquelle il fut blessé mortellement.

Maupas Charlemagne Émile de *(Bar-sur-Aube 1818 - Paris 1888)*. Après avoir été préfet de Haute-Garonne, il fut nommé par Louis Napoléon préfet de police en octobre 1851. Pendant le second Empire, il fut ministre de la Police et se montra particulièrement rigoureux à l'égard des républicains. Il a laissé des *Mémoires*.

Maximilien - Phot. Patrick Lorette.

Maximilien *(Schoenbrunn 1832 - Querétaro 1867)*. Frère cadet de l'empereur d'Autriche Francois-Joseph, il n'occupa aucun poste à responsabilité jusqu'à ce que Napoléon III lui fasse offrir l'empire du Mexique, en 1863. Couronné empereur en 1864, il ne parvint pas à se faire accepter des Mexicains et, après avoir été abandonné par Napoléon III, fut pris par les partisans de Juárez et fusillé à Querétaro.

Mirès JULES-ISAAC *(Bordeaux 1809 - Marseille 1871).* Ce spéculateur de génie, grâce à d'heureuses opérations boursières, put acheter de nombreux journaux et se lança dans de vastes entreprises financières. Mais, arrêté pour fraude dans la gestion de ses affaires, il fit faillite.

Moltke — Phot. Schaarwaehter.

Moltke HELMUTH CHARLES, COMTE VON *(Parchim, Mecklembourg, 1800 - Berlin 1891).* Fils d'un général danois, il devint officier de l'armée prussienne en 1822. Après avoir participé aux campagnes menées en Turquie contre les Kurdes, de 1835 à 1839, il devint chef du grand état-major en 1857. Ses talents de tacticien lui valurent d'être à l'origine des victoires de la Prusse dans la guerre des Duchés en 1864, contre l'Autriche en 1866 et dans la guerre franco-allemande de 1870.

Morny CHARLES AUGUSTE, DUC DE *(Paris 1811 - id. 1865).* Fils naturel de la reine Hortense et du général de Flahaut, il devint député du Puy-de-Dôme en 1842. Élu à l'Assemblée législative en 1849, il organisa le coup d'État du 2-Décembre. Président du Corps législatif de 1854 à 1865, il poussa Napoléon III à libéraliser le régime. Il joua un rôle de premier plan dans la vie mondaine du second Empire, fonda Deauville et profita de son influence pour se lancer dans de fructueuses spéculations.

Niel ADOLPHE *(Muret, Haute-Garonne, 1802 - Paris 1869).* Ancien élève de l'École polytechnique, il commença sa carrière militaire pendant la conquête de l'Algérie. Après avoir participé au siège de Sébastopol, il s'illustra pendant les batailles de Magenta et de Solferino et fut nommé maréchal de France par Napoléon III. En 1867, il succéda au maréchal Randon au ministère de la Guerre et entreprit de réformer l'armée française, faisant adopter le fusil Chassepot et créant en 1868 une Garde nationale mobile.

Noir YVAN SALMON, dit VICTOR *(Attigny, Vosges, 1848 - Paris 1870).* Cet apprenti horloger devint rédacteur à *la Marseillaise.* En janvier 1870, s'étant rendu chez le prince Pierre Bonaparte pour provoquer en duel au nom de son confrère Paschal Grousset, il fut tué par le prince. Ses obsèques donnèrent lieu à des manifestations importantes contre le régime impérial.

Offenbach JACQUES *(Cologne 1819 - Paris 1880).* D'origine allemande et naturalisé français, il commença une carrière de chef d'orchestre, puis fonda le théâtre des Bouffes-Parisiens, pour lequel il composa une centaine d'opérettes dont le livret était écrit par Meilhac et Halévy. Le public parisien réserva un très grand succès à ces œuvres brillantes et joyeuses dont les plus célèbres furent *Orphée aux enfers* (1858), *la Belle Hélène* (1864), *la Vie parisienne* (1866), *la Grande-Duchesse de Gérolstein* (1867) et *la Périchole* (1868).

Morny - Phot. Tallandier.

Niel - Phot. Lauros Giraudon

Ollivier ÉMILE *(Marseille 1825 - Saint-Gervais-les-Bains 1913).* Il fut un des cinq élus républicains au Corps législatif en 1857, puis, devant l'évolution de l'Empire, se rallia en 1863 à Napoléon III en fondant le Tiers Parti. Après la démission de Rouher, il fut chargé en janvier 1870 de former un ministère. Pendant les mois qui suivirent, il tenta de modifier le régime en l'orientant vers le parlementarisme. Il fut en grande partie à l'origine de la guerre franco-prussienne de 1870 et, après les premières défaites françaises, son ministère fut renversé. Après une période d'exil en Italie, il revint en France en 1873 et vécut dans la retraite.

Orsini FELICE *(Meldola, près de Forli, 1819 - Paris 1858).* Membre du mouvement révolutionnaire Jeune-Italie, il fut emprisonné en 1844 après le soulèvement de la Romagne. Amnistié en 1846, il s'attacha à la cause de Mazzini et fut élu en 1849 député de l'Assemblée constituante de Rome. De nouveau emprisonné en 1855 et condamné à mort, il parvint à s'évader et gagna Londres. C'est là qu'il prépara l'attentat qu'il perpétra contre Napoléon III le 14 janvier 1858. Défendu par Jules Favre, il fut condamné et guillotiné.

Pereire JACOB ÉMILE *(Bordeaux 1800 - Paris 1875).* Venu à Paris en 1822, il entra dans le mouvement saint-simonien et collabora au journal *le Globe.* Il se lança dans le financement de nombreuses entreprises, la ligne ferrée Paris-Saint-Germain-en-Laye en 1833, la Compagnie ferroviaire de Lyon (1846), le Crédit mobilier (1852) et la Compagnie générale transatlantique. Élu au corps législatif (1863-1869), il fut obligé de démissionner du Crédit mobilier en 1867, à la suite de spéculations trop hardies. Son frère Isaac *(Bordeaux 1806 - Armainvilliers, Seine-et-Marne, 1880)* collabora avec lui dans toutes ses entreprises.

Persigny - Phot. B. N.

Persigny VICTOR FIALIN, DUC DE *(Saint-Germain - l'Espinasse, Loire, 1808 - Nice 1872).* Après une carrière militaire interrompue à cause de ses opinions républicaines, il s'attacha à Louis Napoléon Bonaparte, qu'il aida lors de ses tentatives de Strasbourg et de Boulogne. Après le coup d'État du 2-Décembre, auquel il prit une part importante, il fut ministre de l'Intérieur, puis ambassadeur à Londres. Opposé à la libéralisation du régime, il abandonna tout rôle politique dans les dernières années du second Empire.

Pie LOUIS FRANCOIS DÉSIRÉ ÉDOUARD *(Pontgouin, Eure-et-Loir, 1815 - Angoulême 1880).* Nommé évêque de Poitiers en 1849, il fut un des chefs de l'ultra-montanisme pendant le second Empire. Opposé à la politique française en Italie, il attaqua Napoléon III, qu'il traita de Ponce-Pilate, et, poursuivi pour ses propos, refusa de comparaître en justice. Il devint cardinal en 1879.

Raglan FITZROY JAMES HENRY SOMERSET, BARON *(Badminton 1788 - devant Sébastopol 1855).* Entré dans l'armée en 1804, il devint l'aide de camp de Wel-

Pie - Phot. Giraudon.

Randon - Phot. Lauros-Giraudon.

Rochefort — Phot. Lauros-Giraudon.

lington et perdit un bras au cours de la bataille de Waterloo. Il fut chargé de diverses missions diplomatiques à Paris, Vérone et Saint-Pétersbourg. Il s'illus-

Raglan – Phot. B. N.

tra pendant la guerre de Crimée à la bataille d'Inkerman et pendant le siège de Sébastopol, durant lequel il mourut, victime du choléra.

Randon JACQUES CÉSAR *(Grenoble 1795-Genève 1871).* Il participa à la conquête de l'Algérie, puis devint ministre de la Guerre en 1851. Nommé gouverneur de l'Algérie en 1852, il dirigea la conquête de la Kabylie. Redevenu ministre de la

Guerre de 1859 à 1867, il fut rendu responsable de l'échec de l'expédition du Mexique et fut remplacé par Niel.

Reille – Phot. Larousse.

Reille RENÉ CHARLES, BARON *(Paris 1835 - id. 1898).* Ce saint-cyrien, fils du maréchal Reille, gendre du maréchal Soult, devint l'aide de camp de Randon et de Niel, puis abandonna la carrière militaire en 1869 pour devenir député du Tarn. En 1870, il commanda une brigade de la IIe armée. Sous la IIIe République, il fut réélu député de Castres de 1876 à 1878 et de 1879 à 1898.

Rigault de Genouilly - Phot. Larousse.

Rigault de Genouilly CHARLES *(Rochefort 1807 - Barcelone 1873).* Ce polytechnicien, devenu contre-amiral en 1854, commanda en 1856 les forces françaises qui s'emparèrent de Canton en 1857, puis de Saigon en 1859. Il fut nommé ministre de la Marine en 1867 et donna sa démission en 1870.

Rochefort HENRI, MARQUIS DE ROCHE-FORT-LUÇAY, DIT HENRI *(Paris 1831-Aix-les-Bains 1913).* Ce descendant d'une famille de la noblesse commença par être employé à l'Hôtel de Ville. En 1868, il fit paraître un journal pamphlétaire, *la Lanterne,* qui connut immédiatement un énorme succès, mais dut être interrompu dès le troisième numéro. Élu député à Paris en 1869, il fut arrêté en 1870. Libéré le 4 septembre 1870, il devint membre du gouvernement de la Défense nationale. Déporté en Nouvelle-Calédonie après la Commune, qu'il avait approuvée, il s'évada en 1874 et se réfugia à Genève, où il fit reparaître *la Lanterne.* Revenu en France après l'amnistie de 1880, il fonda *l'In-*

transigeant. Il s'attacha à la cause du général Boulanger, qu'il suivit dans sa fuite en Belgique en 1889. Amnistié en 1895, il retrouva son talent de polémiste pour s'attaquer aux dreyfusards.

Rothschild JAMES DE *(Francfort-sur-le-Main 1792 - Paris 1868).* Cinquième fils du fondateur de la banque allemande Rothschild, il s'installa à Paris en 1812. Il aida financièrement les gouvernements de la Restauration et de Juillet. Pendant le second Empire, il représenta la banque traditionnelle et tenta de freiner l'essor des frères Pereire en attaquant le Crédit mobilier.

Rouher — Phot. B. N.

Rouher EUGÈNE *(Riom 1814 - Paris 1884).* Avocat à Riom et député républicain aux Assemblées de 1848, il devint à deux reprises ministre de la Justice de 1849 à 1852. Nommé vice-président du Conseil d'État en 1852, il occupa de 1855 à 1863 les fonctions de ministre de l'Agriculture, du Commerce et des Travaux publics et s'intéressa particulièrement au développement des moyens de communication. Ministre d'État à partir de 1863, il s'opposa à la libéralisation du régime et poussa à effectuer l'expédition du Mexique. Il démissionna en 1869 et devint président du Sénat. Après s'être réfugié en Angleterre en 1870 et être revenu en France en 1871, il fut élu député de la Corse en 1872 et dirigea le parti bonapartiste jusqu'à la mort du prince impérial.

Rouland GUSTAVE *(Yvetot 1806 - Paris 1878)*. Député de Dieppe jusqu'à la révolution de 1848, il se rallia à l'Empire après le coup d'État du 2-Décembre. Il occupa le ministère de l'Instruction publique et des Cultes de 1856 à 1863. Après avoir créé en 1862 une chaire de linguistique au Collège de France pour Renan, dès la leçon inaugurale, il suspendit les cours du philosophe. Il devint vice-président du Sénat en 1863, puis fut président du Conseil d'État de 1863 à 1864. Il mourut sénateur de la IIIᵉ République.

Saint-Arnaud ARMAND ARNAUD, dit ACHILLE LEROY DE *(Paris 1798 - en mer Noire 1854)*. Après avoir été chassé de l'armée en 1820, il participa à la guerre d'indépendance grecque. Réintégré dans l'armée en 1831, il se fit remarquer lors de la conquête de l'Algérie et devint général en 1847. Ministre de la Guerre en 1851, il prit une part active au coup d'État du 2-Décembre et fut promu maréchal. Commandant des forces françaises en Crimée en 1854, il remporta la victoire de l'Alma, mais il tomba gravement malade et dut être remplacé par Canrobert. Il mourut sur le bateau qui le ramenait en France.

Schneider EUGÈNE *(Bidestroff 1805-Paris 1875)*. En 1836, avec son frère Adolphe, il remit en activité l'ancienne fonderie royale du Creusot, qui prit le nom de Société Schneider Frères et devint le premier complexe industriel de France. Il construisit la première locomotive à vapeur et s'assura le monopole de la fabrication des rails d'acier. Élu député en 1845, il devint ministre du Commerce et de l'Agriculture en 1851 et président du Corps législatif de 1867 à 1870.

Schneider HORTENSE *(Bordeaux 1838-Paris 1920)*. Après des débuts en province, cette chanteuse soprano devint à Paris l'interprète favorite d'Offenbach et créa avec beaucoup de succès *la Grande-Duchesse de Gérolstein* et *la Belle Hélène*. Après une carrière brillante et une vie mondaine agitée, elle quitta la scène en 1881.

E. Schneider - Phot. Tallandier.

H. Schneider - Phot. Dubout, archives Tallandier.

Schœlcher VICTOR *(Paris 1804-Houilles 1893)*. Sous-secrétaire d'État dans le gouvernement de 1848, il fit adopter le décret abolissant l'esclavage dans les colonies françaises. Député de la Montagne dans l'Assemblée législative, il s'opposa au coup d'État du 2-Décembre et fut exilé en Angleterre. Revenu en France après l'abdication de Napoléon III, il siégea à l'Assemblée nationale comme député de la Martinique.

Talabot PAULIN *(Limoges 1799 - Paris 1885)*. Cet ingénieur se consacra à la construction des premières lignes de chemin de fer du Sud-Est et, en 1862, devint directeur du P. L. M. Il participa aussi à l'édification des voies ferrées d'Algérie, du Portugal et d'Italie.

Thouvenel ÉDOUARD *(Verdun 1818-Paris 1868)*. Nommé ambassadeur à Constantinople en 1855, il contribua à la formation des principautés unies de Moldavie et de Valachie. Devenu en 1860 ministre des Affaires étrangères en remplacement de Walewski, il négo-

cia avec le Piémont la cession à la France de Nice et de la Savoie et signa avec l'Angleterre le traité de 1860 instituant la liberté commerciale entre les deux pays.

Tolain - Archives photographiques Larousse

Tolain HENRI LOUIS *(Paris 1828 - id. 1897)*. Cet ouvrier ciseleur fut désigné pour conduire la délégation ouvrière qui se rendit à Londres en 1862 pour visiter l'Exposition universelle et signa en 1864 le manifeste des Soixante demandant une représentation ouvrière au Corps législatif. Ayant assisté en 1864 en Angleterre au meeting de Saint-Martin's Hall, où fut fondée l'Association internationale des travailleurs, il créa à Paris la première section française de l'Internationale. Adjoint au maire du XIᵉ arrondissement en novembre 1870, il s'opposa à la Commune, ce qui lui valut d'être exclu de l'Internationale. Député de la Seine en 1871, puis sénateur en 1876, il s'occupa plus particulièrement des questions syndicales dans ces deux assemblées.

Veuillot LOUIS *(Boynes, Loiret, 1813-Paris 1883)*. Fils d'un ouvrier tonnelier et contraint de travailler dès l'âge de treize ans, il fit lui-même son instruction. Il collabora très jeune à de nombreuses revues provinciales, puis en

Veuillot - Phot. Perron

1843 entra à *l'Univers,* dont il prit la direction en 1848. Il fit de son journal le porte-parole de l'ultramontanisme et polémiqua avec les catholiques libéraux. En 1860, son attitude critique à l'égard de la politique italienne de l'empereur valut à *l'Univers* d'être supprimé. Le journal ne put reparaître qu'en 1867 et se prononça avec vigueur pour l'infaillibilité pontificale promulguée en 1870.

Walewski ALEXANDRE JOSEPH COLONNA, COMTE *(Walewice, Pologne, 1810 - Strasbourg 1868)*. Fils naturel de Napoléon Iᵉʳ et de Marie Walewska, il participa en 1830 aux mouvements insurrectionnels polonais. Naturalisé français, il fut officier pendant l'expédition d'Algérie, puis de 1849 à 1851, fut successivement ambassadeur à Florence, Naples, Madrid et Londres. Nommé ministre des Affaires étrangères en 1855, il présida le congrès de Paris. En 1865, il remplaça Morny à la présidence du Conseil législatif, puis démissionna en 1867.

Wimpffen EMMANUEL FÉLIX DE *(Laon 1811 - Paris 1884)*. Petit-fils du général de Wimpffen, il servit en Algérie, en Crimée et pendant la guerre d'Italie. Le 1ᵉʳ septembre 1870, il remplaça Mac-Mahon blessé durant la bataille de Bazeilles et négocia la capitulation de Sedan.